LA BIBLE
DE LA
MIJOTEUSE

LA BIBLE DE LA MIJOTEUSE

Recettes, techniques et conseils

Sara Lewis

Traduit de l'anglais par
Lorraine Gagné

Éditeur : François Doucet
Traduction : Lorraine Gagné
Révision linguistique : Christine Barrette
Correction d'épreuves : Suzanne Turcotte, Nancy Coulombe
Montage de la couverture : Sylvie Valois
Mise en pages : Sylvie Valois
ISBN : 978-2-89667-133-5
Première impression : 2010
Dépôt légal : 2010
Bibliothèque et Archives nationales du Québec
Bibliothèque Nationale du Canada

Éditions AdA Inc.
1385, boul. Lionel-Boulet
Varennes, Québec, Canada, J3X 1P7
Téléphone : 450-929-0296
Télécopieur : 450-929-0220
www.ada-inc.com
info@ada-inc.com

Diffusion

Canada :	Éditions AdA Inc.
France :	D.G. Diffusion Z.I. des Bogues 31750 Escalquens — France Téléphone : 05.61.00.09.99
Suisse :	Transat — 23.42.77.40
Belgique :	D.G. Diffusion — 05.61.00.09.99

Imprimé en Chine

Participation de la SODEC.
Nous reconnaissons l'aide financière du gouvernement du Canada par l'entremise du Programme d'aide au développement de l'industrie de l'édition (PADIÉ) pour nos activités d'édition. Gouvernement du Québec — Programme de crédit d'impôt pour l'édition de livres — Gestion SODEC.

Des œufs de grosseur moyenne ont été utilisé pour les recettes de ce livre.

Des fines herbes fraîches peuvent être utilisées dans chaque recette à moins de contre-indication.

Certaines recettes contiennent des noix et leurs dérivés. Toute personne étant allergique aux noix devrait éviter ces recettes.

Ce livre contient certains plats fait à partir d'œufs crus ou cuits très légèrement. Il serait prudent que les personnes les plus vulnérables telles que les femmes enceintes et allaitant, les handicapés, les personnes âgées, les bébés et les jeunes enfants évitent de consommer des œufs crus ou cuits très légèrement.

Lire le manuel d'instructions de votre mijoteuse avant de commencer et préchauffer votre mijoteuse si cela est requis dans votre manuel d'instructions. Parce que les mijoteuses varient un peu d'un manufacturier à l'autre, vérifier le temps requis selon les instructions fournies par celui-ci pour une recette nécessitant les mêmes ingrédients.

Toutes les recettes de ce livre ont été testées dans une mijoteuse ovale avec une capacité de 2.5 litres (4 chopines) et une capacité totale de 3.5 litres (6 chopines) en utilisant des mesures métriques. Si la recette de la mijoteuses se termine sous le gril, tenez le récipient à l'aide d'un torchon à vaisselle pour le retirer de la mijoteuse.

Table des matières

Introduction

Si vous venez tout juste d'acheter votre premier livre de recettes pour mijoteuse, je vous félicite. Vous allez pouvoir déguster une multitude de repas succulents et délicieux. Toutefois, avant d'utiliser votre mijoteuse pour la première fois, lisez les instructions pour en profiter au maximum.

Cuisson à la mijoteuse

Si vous avez été élevé par des parents qui croyaient en la cuisson à la mijoteuse — et qui ont probablement encore leur première mijoteuse, qui devrait maintenant avoir plus de 30 ans et qui fonctionne encore — alors vous apprécierez rentrer à la maison avec un dîner tout prêt.

Vous pouvez maintenant faire la même chose pour vous et votre famille, même si vous êtes bousculé par le temps, ou que vous travaillez tard. Les plats cuits à la mijoteuse sont redevenus populaires, et certaines coupes de viande, comme le porc à la mijoteuse, qui aurait été ridiculisé il y a plusieurs années, apparaissent maintenant sur le menu de plusieurs pubs gastronomiques élégants. Des coupes braisées, des conserves à la queue de bœuf braisée et au dîner, dans une seule casserole, les repas traditionnels intemporels de la famille sont plus populaires que jamais. Plus important encore, ce sont des plats qui peuvent être préparés facilement et simplement à la maison ; au 21e siècle, une mijoteuse est devenue un appareil essentiel en cuisine.

L'attrait des mijoteuses

Comment expliquer le phénomène de la mijoteuse? L'attrait principal est qu'elle cuit les aliments si lentement qu'elle ne les dessèche pas par ébullition et qu'on peut la laisser sans surveillance de 8 à 10 heures, sans danger que le liquide renverse ou que les aliments collent au fond du récipient. Ceci dit, certains ingrédients doivent être tout d'abord poêlés, puis ensuite, vous n'avez qu'à tout déposer dans la mijoteuse et vaquer à vos occupations pendant le reste de la journée tandis que le repas cuit.

Si ces raisons pratiques ne suffisent pas à vous persuader, alors vous trouverez que les saveurs que vous pouvez obtenir sont sans égal. Les plats ou les casseroles de viande infusés d'épices et de fines herbes semblent fondre dans la bouche. Vous pouvez aussi économiser en utilisant des coupes de viande moins connues et moins chères, comme le collier d'agneau, le lapin et le jarret de porc. Même le déjeuner du dimanche — une demi-épaule d'agneau, une poitrine de bœuf en daube ou un poulet braisé — peut être préparé facilement dans une mijoteuse.

Non seulement la mijoteuse est facile à utiliser, mais elle améliore la saveur de vos aliments et ne coûte pas cher à utiliser puisqu'elle consomme autant d'énergie qu'une ampoule électrique, sauvant ainsi de l'énergie, ce qui est bien pour l'environnement.

Économie de temps

Bien que l'idée de cuisiner le dîner avant de partir le matin, puisse être la dernière chose que vous voulez faire ou que vous avez le temps de faire, lorsque vous l'aurez essayé quelques fois, vous serez conquis. Ne prenant que 15 à 20 minutes tôt en matinée, vous préparerez votre dîner dans la mijoteuse et vous serez ensuite libre de faire ce que vous désirez. Si vous avez une jeune famille, vous pouvez préparer le dîner lorsque les enfants sont partis pour l'école, afin qu'il soit prêt en fin d'après-midi lorsque vous et vos enfants serez fatigués. Si vous travaillez sur les quarts de travail ou si vous êtes étudiant et avez beaucoup de cours, vous pouvez préparer le dîner avant de partir pour qu'il soit prêt à votre retour. Si vous êtes nouvellement retraité, le dîner peut cuire pendant que vous profitez d'une journée relaxante au golf ou que vous bricolez.

Comment utiliser ce livre

Ce livre vous guidera à travers une variété de plats que vous pouvez préparer à la mijoteuse et vous aidera à retirer le maximum de cet appareil de cuisson polyvalent. Il y a des recettes de vos plats préférés de tous les jours aussi bien que des plats à partager avec vos amis, comme la Morue enveloppée de saumon avec ses poireaux au beurre (voir page 176 – 177) ou la Venaison en pâte feuilletée (voir page 170 – 171). Il y a également beaucoup de délices végétariens, comme la Ratatouille d'aubergine avec boulettes de pâte au ricotta (voir page 142 – 143) et le Spaghetti aux tomates balsamiques (voir page 148 – 149).

En plus des règles de sécurité élémentaires et des conseils sur le démarrage initial, vous trouverez également des conseils sur les différentes façons d'utiliser une mijoteuse et comment cette dernière peut modifier votre façon de cuisiner. Pour préparer des poudings comme le Plum-pouding (voir page 212 – 213), vous n'avez qu'à placer la bassine à pouding dans le fond du récipient de la mijoteuse et à ajouter l'eau. Vous pouvez également utiliser une mijoteuse comme bain-marie ou comme bain d'eau pour faire cuire des crèmes au four, des pâtés et des terrines. Versez des mélanges d'alcool et de jus de fruits dans le récipient et faites-les réchauffer pour obtenir un punch pour vous réchauffer, que vous verserez à la louche. Vous réaliserez que vous pouvez préparer une grande variété de plats comme les fondues au chocolat et au fromage, les conserves, de simples chutneys ou tout simplement faire bouillir des os ou une carcasse de poulet pour préparer votre propre bouillon.

Il y a également un chapitre de recettes pour préparation rapide de dîners (voir page 98 – 119), dîners qui ne demandent pas de faire rôtir la viande au préalable et si vous êtes réellement à court de temps, il y a un chapitre de recettes dans lesquelles on peut tricher un peu (voir page 232 – 251) et qui font bon usage des pots et des boîtes conserves déjà préparées, et des restes réfrigérés.

Un nouveau mode de vie

Bien que vos amis puissent vous taquiner au sujet du temps que votre plat a mis à cuire dans le four, une fois que vous

aurez apprécié les avantages de l'utilisation d'une mijoteuse, vous réaliserez qu'elle s'adapte bien à votre mode de vie. Vous pourriez même vouloir utiliser votre mijoteuse lors de vacances : après une journée bien remplie à la plage, ou à visiter, il n'y a rien de plus accueillant que l'arôme d'un dîner qui mijote. Les mijoteuses ne servent pas qu'à préparer des ragoûts d'hiver, telle que la Morue fumée avec purée de haricots cannellini (voir page 104 – 105) le prouve.

La cuisson à la mijoteuse peut vous épargner bien des soucis. Les mijoteuses respectent l'environnement, elles sont économes à utiliser, elles ne bouillent pas à sec et sont très polyvalentes — tout le monde devrait en avoir une. Alors, mettez votre repas au feu, faites une promenade avec votre chien, mettez vos enfants au lit ou prenez un verre de vin au jardin… et le dîner sera prêt lorsque vous le serez.

Principes de bases de la mijoteuse

Comment choisir une mijoteuse

Les meilleures mijoteuses et les plus polyvalentes sont de forme ovale. Elles sont idéales pour cuire un poulet entier, pour la bassine d'un pouding ou quatre moules individuels et pour préparer une soupe pour six personnes.

Les mijoteuses sont disponibles en trois grandeurs et elles se mesurent en capacité totale; la grandeur est normalement indiquée sur l'emballage ainsi que la capacité ou l'espace maximal pour les aliments :

* Pour deux personnes : une petite mijoteuse ovale avec une capacité maximale de 1,5 l (2½ chopines et un volume utilisable de 1l (1¾ chopine)
* Pour quatre personnes : une mijoteuse ronde ou une mijoteuse ovale plus polyvalente avec une capacité totale de 3,5 l (6 chopines) et un volume utilisable de 2,5 l (4 chopines)
* Pour 6 personnes : une grande mijoteuse ovale avec capacité totale de 5 l (8¾ chopines) et un volume utilisable de 4 l (7 chopines), ou une mijoteuse ronde très grande avec une capacité totale de 6,5 l (11½ chopines) et un volume utilisable de 4,5 l (8 chopines).

Il est surprenant que les très grandes mijoteuses coûtent juste un peu plus cher que les mijoteuses moyennes, et il est facile de vous laisser emporter, pensant que c'est un meilleur achat. À moins que vous ayez une grande famille ou que vous vouliez cuire de grandes quantités pour un repas et pour en congeler, vous trouverez probablement qu'elles sont trop grandes pour vos besoins. N'oubliez pas que vous devez remplir la mijoteuse à moitié lorsque vous faites cuire de la viande, du poisson ou des légumes.

Modification des recettes pour une mijoteuse de grandeur différente

Toutes les recettes de ce livre ont été testées et approuvées dans une mijoteuse de grandeur standard avec une capacité totale de 3,5 l (6 chopines). Si vous avez une mijoteuse de 5 l (8¾ chopines) pour six personnes, ou une mijoteuse de 1,5 l (2½ chopines) pour deux personnes, vous pouvez modifier les recettes de ce livre en divisant les ingrédients en deux afin d'avoir 2 portions ou en ajoutant la moitié des ingrédients à la recette pour avoir 6 portions, tout en respectant le temps de cuisson. Toutes les recettes faites dans une bassine à pouding, dans un moule à soufflé ou dans des moules individuels peuvent être cuites dans une plus grande mijoteuse tout en gardant le même temps de cuisson.

Avant de commencer

Même si ça vous paraît évident, vérifiez toujours que le rôti, le bassin à pouding, le moule à soufflé, ou les moules individuels s'adapteront au récipient de votre mijoteuse avant de commencer, afin d'éviter certaines frustrations lorsque vous en serez à mi-chemin de la préparation de la recette.

PRÉCHAUFFAGE

Il est important que vous lisiez le manuel d'instructions, qui vous est donné avec votre mijoteuse avant de commencer la cuisson. Certains manufacturiers recommandent le préchauffage de la mijoteuse, à température élevée, pendant au moins 20 minutes avant d'ajouter les aliments. Par contre, la majorité d'entre eux recommandent que la mijoteuse ne soit chauffée que lorsqu'elle est remplie d'aliments.

SÉCURITÉ D'ABORD

Avant de commencer à utiliser la mijoteuse, déposez-la sur une surface de travail, loin de tout, et assurez-vous que le fil soit à l'arrière de la mijoteuse et non à l'avant près de la plaque chauffante.

L'extérieur de la mijoteuse devient chaud, alors utilisez des gants de cuisinier lorsque vous voulez lever le récipient de la mijoteuse. Déposez-le sur un sous-plat à l'épreuve de la chaleur sur la table ou sur une surface de travail pour servir les aliments. Si le couvercle de la mijoteuse est muni d'une ouverture pour la vapeur, assurez-vous de ne pas la déposer sous une armoire de cuisine qui serait sous le niveau des yeux, sinon quelqu'un risque de se brûler en ouvrant dans l'armoire.

Ne faites jamais réchauffer des aliments dans la mijoteuse. Faites chauffer un plat déjà cuit dans une casserole sur une plaque chauffante et assurez-vous de le faire bouillir et de le faire cuire complètement. Ne faites réchauffer les aliments qu'une seule fois.

Les techniques de la mijoteuse

Préparation de base pour la cuisson

Il y a deux méthodes de base. Vous pouvez cuire la viande puis ajouter les oignons et les assaisonnements. Ajoutez la farine à ce moment-ci puis, ajoutez le bouillon et les assaisonnements. Portez le mélange à ébullition, puis, à l'aide d'une cuillère, le transférer dans le récipient de la mijoteuse.

Cette façon donne sans aucun doute la meilleure saveur et la plus belle couleur, mais l'idée de cuire la viande et les oignons le matin peut être un peu rebutant, et si vous préférez, vous pouvez préparer tous les ingrédients la veille. Mélangez les ingrédients comme les assaisonnements dans un bol, couvrez avec une pellicule de plastique et réfrigérez. Ne soyez pas tenté de cuire à demi la viande et de la refroidir. Le matin, ajoutez les ingrédients dans le récipient de la mijoteuse, sans les cuire au préalable, puis ajoutez du liquide chaud, réchauffé au four à micro-ondes ou dans une casserole, ou bien émiettez un cube de bouillon dans un récipient et mélangez-le avec de l'eau bouillante. Selon la recette, vous voudrez peut-être augmenter le temps de cuisson de 1 à 2 heures.

L'importance du liquide

Une mijoteuse est semblable à une grande casserole isotherme et même si on ne doit jamais l'utiliser sans ajouter de liquide, la quantité nécessaire est moindre que lorsque vous faites mijoter une casserole sur une plaque chauffante pendant plusieurs heures, car il n'y a aucun danger que les aliments bouillent à sec. Comme la casserole réchauffe, le liquide se transforme en vapeur, puis se condense sur le couvercle et retourne dans le récipient, c'est pourquoi vous avez besoin de moins de bouillon. Parce que la température est constante, vous pouvez laisser la mijoteuse en marche, en toute sécurité, même si vous n'êtes pas dans la maison.

Remplissage de la mijoteuse

Lorsque vous achetez une mijoteuse, vous serez un peu confus, par le fait que le manufacturier a inscrit deux quantités sur le côté de l'emballage. Le chiffre le plus bas indique le volume de cuisson, et le chiffre le plus élevé est la capacité totale du récipient de la mijoteuse.

Remplissez toujours la mijoteuse à demi ou aux trois quarts. Les rôtis de viande ne devraient pas occuper plus des deux tiers du récipient. Si vous utilisez une bassine à pouding ou un plat allant au four, laissez 1 cm (½ po) au point le plus étroit d'un récipient oval, ou 2 cm (¾ po) dans un récipient rond. Si vous préparez une soupe, vous pouvez le remplir un peu plus, mais assurez-vous que le niveau de liquide soit à 2 cm (1 po) sous le bord.

Réglage de chaleur

Toutes les mijoteuses ont des températures préréglées « maximale », « minimale » et « arrêt », et certains modèles ont des allures « moyenne », « chaude » ou « auto ». En général, la température maximale prendra la moitié du temps de la température minimale, lorsque vous cuisez une casserole de viande en cubes et de légumes. Cette température est pratique si vous planifiez servir votre plat au déjeuner ou si vous êtes retardé. Les deux réglages atteindront une température juste en dessous de 100 °C (212 °F) ou du point d'ébullition, durant la cuisson, mais cette température sera atteinte plus rapidement lors du réglage à la température maximale.

Le réglage auto, même si il n'est pas capital, est utile si vous planifiez ajouter de la viande sans la cuire auparavant, car la mijoteuse commencera à la température maximale puis automatiquement, grâce à un thermostat, diminuera à la température minimale. Cette température est aussi très utile si le récipient est bien rempli. Si votre mijoteuse ne la possède pas, débutez la cuisson à la température maximale, pendant 30 minutes, puis manuellement, réduire à température minimale, avant de quitter la maison.

Augmenter la température de minimale à maximale, à la fin d'une recette, peut être très utile si vous voulez épaissir une casserole avec de la farine de maïs à la fin de la cuisson, ajouter d'autres légumes verts, ou réchauffer les soupes qui ont été réduites en purée et retournées dans le récipient par la suite.

La température chaude est utilisée lorsque le temps de cuisson est terminé et que vous voulez garder les aliments au chaud, ce qui est pratique pour ceux qui dînent tard, mais cette fonction n'est pas essentielle, car avec la température minimale, les aliments ne se gâteront pas, à moins qu'ils soient à base de riz.

Temps de cuisson

Avec une mijoteuse, vous profiterez pleinement de votre temps. Le tableau ci-dessous indique le temps de cuisson pour différents types d'aliments, et certaines recettes de ce livre; il indique également la température à utiliser de façon à ce que vous puissiez planifier votre temps. Ces temps donnés indiquent le temps de cuisson de ces aliments dans la mijoteuse. La préparation initiale et la touche finale comme faire dorer au four et préparer des accompagnements ne sont pas incluses.

Cuisson à température minimale

1 à 2 heures
Demi-bananes, quartiers de pomme, ou demi-pêches pochées, et Poudings au chocolat (pages 192 – 193)

2 à 3 heures
Soupes de poisson, compotes de fruits, pouding au riz fait avec du risotto au lieu de riz, Crèmes caramel (pages 194 – 195), Pouding au riz sucré au miel (page 198)

3 à 4 heures
Calmars, demi-poires pochées, crèmes brûlées individuelles, crèmes de citron, Pilaf de maquereau (pages 94 – 95)

4 à 5 heures
Macaroni au fromage, soupes aux légumes sans pomme de terre, poivrons farcis, pouding au pain beurré, Thon arrabiata (pages 84 – 85)

6 à 8 heures
Saucisses, poulet désossé et coupé en dés, poitrines de poulet désossé, soupes avec des pommes de terre coupées en dés, ragoût de légumes, caris et gnocchis, boulettes de viande, Risotto d'orge au beurre de fromage bleu (pages 100 – 101)

8 à 10 heures
Casseroles ou soupes avec viande coupée en dés, émincés de bœuf ou d'agneau, tranches de filet d'agneau, bifteck de croupe entier d'agneau, côtelette de filet, bifteck d'épaule picnic, côtes levées de porc désossé, cuisses et pilons de poulet avec l'os, queue de bœuf, ragoût de haricots, base pour marmelade

Cuisson à température maximale

Moins de 1 heure
Fondue au fromage ou au chocolat, œufs en cocotte avec saumon fumé (pages 40 – 41)

1 à 2 heures
Porridge, hareng mariné, truite entière, morceau épais de filet de saumon de 500 grammes (1 livre), Frittatta de courgettes et de fèves (pages 48 – 49), Timbales d'aubergines (pages 158 – 159)

2 à 3 heures
Chili de maïs sucré, rognons, chou rouge en daube ou betteraves coupées en dés, gâteau au fromage, gelées et confitures de fruits, poudings éponges individuels, terrine de légumes rôtis à la méditerranéenne (pages 52 – 53)

3 à 4 heures
Poitrines entières désossées de poulet, Haggis 500 grammes (1 livre), faisan entier 750 grammes (1½ livre), lentilles dhal, sauce aux tomates pour pâtes, pouding éponge vapeur 1,2 à 1,5 litre (2 à 2½ chopines), Ratatouille d'aubergine avec boulette de pâte au ricotta (page 142 – 143)

4 à 5 heures
Pommes de terre au four à l'espagnole, céleri braisé, Gâteau au citron et aux graines de pavot arrosé de sirop au citron (page 210 – 211)

5 à 6 heures
Côtes de porc, jarret d'agneau, cuisses de canard, rillettes, pains de viande et pâtés, langue de bœuf, rognons de bœuf, pintade entière 1 kilo (2 livres), poulet entier 1,5 kilo (3 livres), Rillettes de canard et de porc aux pommes (pages 54 – 55)

6 à 7 heures
Jambon fumé 1,25 kilo (2½ livres), jarret de porc 1 kilo (2 livres), collier d'agneau avec os, poitrine d'agneau, pilons de dinde, poitrine de bœuf 1 kilo (2 livres), chutney

7 à 8 heures
Potée à l'anglaise avec garniture de pommes de terre tranchées, morceau épais de flan de porc 875 grammes (1¾ livre), une demie épaule d'agneau, plum-pouding 1,5 litre (2½ chopines), Agneau à la menthe avec couscous à la betterave (page 178 – 179)

Quoi cuire et à quel réglage

Dans ce livre, on indique une fourchette de temps de cuisson, ce qui veut dire que le plat sera cuit et prêt à être dégusté dans le temps le plus court indiqué, mais qu'il peut être laissé dans la mijoteuse une heure ou plus sans se gâter.

Les morceaux de viande peuvent être cuits à la température minimale ou maximale, mais les rôtis plus gros doivent être cuits à l'allure maximale pour une cuisson complète. Si vous n'êtes pas certain du temps de cuisson, optez pour un temps plus long, car la chaleur est tellement douce que les aliments qui ont cuit plus longtemps que nécessaire ne se dessècheront pas.

Si vous n'êtes pas certain que la viande est bien cuite, coupez dans la partie la plus épaisse du poulet, lapin, faisan, pintade, ou porc : les jus doivent être clairs sans aucune teinte rosée. Le bœuf et l'agneau peuvent être mangés légèrement rosés, alors la cuisson complète est moins importante. Si vous n'êtes pas certain, utilisez un thermomètre à viande pour vous en assurer. Le poisson devrait se briser facilement en morceaux et ces derniers devraient être de la même couleur d'un côté à l'autre.

Adaptation du temps de cuisson

Si vous voulez augmenter ou diminuer le temps de cuisson pour les viandes coupées en dés ou les casseroles de légumes, afin qu'il convienne mieux à votre horaire, adaptez la température et le temps comme suggéré ci-dessous :

Cuisson minimale	Cuisson moyenne	Cuisson maximale
6 à 8 heures	4 à 6 heures	3 à 4 heures
8 à 10 heures	6 à 8 heures	5 à 6 heures
10 à 12 heures	8 à 10 heures	7 à 8 heures

Note : Ces temps donnés proviennent du manuel d'instructions de la mijoteuse Morphy Richards. Ne changez pas les temps de cuisson ni la température, dans les recettes, pour le poisson, les rôtis entiers, ou les plats contenant des produits laitiers.

Ingrédients de la mijoteuse

Viande

Pour vous assurer que la viande soit cuite, coupez-la en morceaux égaux pour que la cuisson soit uniforme et faites-la rôtir avant de l'ajouter à la mijoteuse. Une pintade, un faisan entier, un petit morceau de jambon ou une demie épaule d'agneau peuvent être cuits dans le récipient ovale d'une mijoteuse, mais assurez-vous qu'il n'est pas rempli de plus des deux tiers, puis recouvrez de liquide bouillant et cuire à température maximale. Vérifiez si la viande est cuite avant de la servir, soit en utilisant un thermomètre à viande, soit en insérant une brochette dans la partie la plus épaisse pour voir si les jus sont clairs.

Ajoutez du bouillon bouillant ou de la sauce dans le récipient de la mijoteuse et pressez la viande sous la surface du liquide avant que la cuisson commence.

Légumes et fruits

Curieusement, les légumes racines sont plus longs à cuire que la viande, alors, assurez-vous de les couper en petits morceaux. La quantité de liquide et la grosseur des morceaux de légumes ont une grande incidence sur le temps de cuisson dans une mijoteuse : plus il y a de liquide et plus les morceaux de légumes sont petits, plus la cuisson sera rapide. Les légumes racines les plus denses prennent presque le même temps de cuisson que le bœuf coupé en dés.

Si vous ajoutez des légumes à une casserole de viande, assurez-vous que les morceaux de légumes soient plus petits que les morceaux de viande, et si possible essayez d'avoir des morceaux de légumes de la même grosseur pour qu'ils cuisent uniformément. Pressez les légumes et la viande sous la surface du liquide, avec le dos d'une cuillère, avant de commencer la cuisson.

Si vous préparez de la soupe, réduisez-la en purée lorsqu'elle est encore dans le récipient à l'aide d'un mélangeur à main, si vous en avez un. Ou bien, transférez-la dans le mélangeur sur socle ou dans un robot culinaire, réduisez-la en purée et retournez-la dans la mijoteuse.

Les pommes de terre coupées deviendront noires si elles ne sont pas cuites recouvertes de bouillon, alors assurez-vous de les presser sous la surface du bouillon avant la cuisson. Les pommes, les poires et les bananes se décoloreront également, alors arrosez-les d'un peu de jus de citron avant la cuisson.

Poisson

La cuisson lente et douce fera que les morceaux de poisson ou les plus gros poissons de 500 g (1 l) ne se déferont pas et ne seront pas trop cuits. Assurez-vous que le

Principes de base de la mijoteuse

* Les aliments cuits dans une mijoteuse doivent contenir du liquide.
* Les aliments ne deviendront pas dorés durant la cuisson, alors faites-les cuire avant de les mettre dans la mijoteuse ou faites dorer le dessus en transférant le récipient de la mijoteuse au four avant de servir. Vous pouvez également utiliser un petit chalumeau de chef.
* Plus les morceaux seront petits, plus le temps de cuisson sera court.
* Les aliments qui sont dans le fond du récipient cuiront plus rapidement, alors mettez les légumes racines en premier dans le récipient.

poisson soit recouvert de liquide chaud afin qu'il cuise uniformément.

Ajoutez les crevettes décortiquées ou des moules sans la coquille à une sauce à base de tomates pour pâtes, ou à une soupe, à la fin du temps de cuisson et faites cuire à température maximale de 20 à 30 minutes, jusqu'à ce que le tout soit très chaud.

Si vous utilisez du poisson congelé, il doit être complètement décongelé, rincé à l'eau froide, et égoutté avant la cuisson. Les sacs de mélanges de mollusques et crustacés congelés qui contiennent des tranches de calmars, des moules sans la coquille et des crevettes décortiquées doivent également être décongelés complètement avant la cuisson.

Lentilles et légumes secs

Les haricots en boîte ont été utilisés dans les recettes de ce livre parce que c'est rapide et pratique, mais si vous voulez utiliser des haricots secs, faites-les tremper, toute la nuit, dans l'eau froide. Égouttez-les, déposez-les dans une casserole et couvrez-les d'eau fraîche. Portez à ébullition et faites bouillir, rapidement, pendant 10 minutes. Égouttez-les à nouveau, ajoutez-les aux autres ingrédients de la mijoteuse et couvrir de bouillon chaud. Faites cuire à température maximale pendant 6 à 7 heures.

Vous n'avez pas besoin de faire tremper durant toute la nuit l'orge perlé ni les lentilles gris-bleu, rouges, ou vertes, mais si vous n'êtes pas certain, vérifiez les instructions sur l'emballage. Ces derniers peuvent être cuits à température minimale.

Riz

Le riz à cuisson rapide est préférable pour les mijoteuses, car il a été partiellement cuit à l'usine. Un peu de l'amidon à été éliminé, le rendant ainsi moins collant lorsqu'il est cuit.

Épaississement des plats

Vous pouvez épaissir les casseroles à la mijoteuse de la même façon dont vous le feriez en cuisine conventionnelle. Vous pouvez le faire avant le début de la cuisson en ajoutant de la farine après avoir saisi la viande ou cuit les oignons, puis graduellement mélangez au bouillon. Vous pouvez mélanger la farine de maïs avec un peu d'eau et l'ajouter au mélange 15 à 30 minutes (température maximale) ou 30 à 60 minutes (température minimale) avant la fin de la cuisson. Sinon, retirez du liquide du plat qui cuit et versez-le dans une casserole ou une poêle à frire et portez à ébullition sur la plaque chauffante pour réduire. Parce que le liquide ne s'évapore pas durant la cuisson, comme il le ferait sur une plaque chauffante, il n'est pas nécessaire de soulever le couvercle pour vérifier la cuisson ou pour ajouter du bouillon chaud. Vous trouverez probablement que vous utilisez moins de bouillon que vous le feriez normalement, mais il est important que la viande et les légumes soient couverts de bouillon pour une cuisson uniforme.

Lorsque vous faites cuire le riz à cuisson rapide, ajoutez un minimum de 250 ml (8 oz) d'eau pour chaque 100 g (3½ oz), ou ajoutez 500 ml (17 oz) d'eau pour la même quantité de riz pour risotto. Vous pouvez préparer du risotto dans une mijoteuse, mais contrairement aux risottos faits dans une poêle à frire, alors que le bouillon chaud est ajouté une louche à la fois, il vous faudra ajouter le bouillon en une seule fois.

Utilisez du riz pour risotto lorsque vous préparez des poudings au riz, car il cuit plus rapidement que le riz à grains ronds traditionnel pour pouding.

Pâtes

Pour obtenir les meilleurs résultats, faites cuire les pâtes séparément dans une casserole d'eau bouillante, et mélangez-les avec la sauce juste avant de servir. Des pâtes courtes comme des macaronis ou des coquilles peuvent être ajoutées aux soupes 20 à 30 minutes avant la fin de la cuisson, comme dans le Bouillon de poulet et nouilles (voir page 35).

Crème et lait

Utilisez du lait entier ou de la crème fraîche, parce qu'ils ont moins tendance à se séparer. La crème et le lait sont habituellement ajoutés au début de la cuisson, seulement pour le pouding au riz ou les plats à base d'œufs comme la crème anglaise.

Si vous préparez de la soupe, ajoutez la crème à la fin, après que la soupe ait été réduite en purée. Versez la crème dans la soupe 15 minutes avant la fin de la cuisson ou ajoutez-la dans le bol de service en faisant des tourbillons.

Utilisation de sauces préparées

Faites cuire la viande et les oignons comme vous le feriez pour une cuisson au four. Ajoutez la sauce et portez à ébullition, puis transférez dans le récipient de la mijoteuse.

Si vous préférez ne pas cuire votre viande au préalable, mettez-la directement dans le récipient de la mijoteuse avec les légumes et portez la sauce à ébullition dans un bol, au four à micro-ondes, ou dans une casserole sur une plaque chauffante. Versez la sauce sur la viande, dans la mijoteuse, et cuire à température et le temps recommandés dans le tableau de la page 13. Si la sauce vous semble un peu épaisse, ne soyez pas tenté d'ajouter un peu de liquide, car les jus de la viande dilueront un peu la sauce durant la cuisson.

Vous aurez besoin d'un pot ou d'une boîte de sauce de 400 g (15 oz) ou un peu plus grand pour 4 côtelettes, 4 poitrines de poulet, ou 500 g (1 l) de viande hachée. La sauce doit être chaude lorsque vous l'ajoutez dans la mijoteuse. N'ajoutez pas de sel aux recettes faites avec des sauces préparées ou des soupes préparées, car elles ont déjà été assaisonnées.

Adaptez vos recettes

S'il y a une recette que vous préférez, celle d'un chef de la télévision, d'un ami, ou transmise dans votre famille, et que vous croyez qu'elle sera parfaite à la mijoteuse, alors essayez de l'adapter.

Comparez la liste des ingrédients de votre recette avec les principaux ingrédients du tableau de la page 13. Vérifiez avec la liste des ingrédients qui apparaît dans le manuel d'instructions du manufacturier avec votre ingrédient principal, pour connaître la quantité maximale qui peut être contenue dans le récipient et son temps de cuisson.

Vous aurez probablement besoin de réduire la quantité de liquide indiquée dans la recette. Cependant, certains couvercles de mijoteuses ne semblent pas s'ajuster au récipient aussi bien que d'autres, et pour ces modèles, vous aurez peut-être besoin d'un peu plus de liquide si vous faites cuire à température maximale. Placer un linge à vaisselle plié sur le dessus du couvercle vous aidera à obtenir une meilleure étanchéité. Comme avec tous les appareils à cuisson, vous devez connaître le vôtre.

Ajustement du niveau de liquide

Vous pouvez améliorer la saveur des recettes de base en ajoutant un peu de vin, de bière ou de cidre sec. Si vous ajoutez beaucoup de tomates fraîches, rappelez-vous qu'elles donneront beaucoup de jus lorsqu'elles réduiront en pulpe en cuisant.

Si le niveau de liquide ne vous semble pas adéquat, ajoutez un peu de bouillon chaud à la fin de la cuisson ou lorsque vous vous apercevez qu'il en manque. S'il y a trop de sauce à la fin de la cuisson, versez-la dans une casserole et faites-la bouillir pendant 5 à 10 minutes pour qu'elle réduise. Si vous préférez, épaississez-la avec un peu de fécule de maïs mélangée à la pâte avec un peu d'eau, et ajoutez dans la mijoteuse en remuant, et cuisez à température maximale de 15 à 30 minutes. Remuez avant de servir.

Quantité adéquate d'ingrédients

Toute casserole de viande ou de légumes, ragoût ou cari, peut être adaptée. Trouvez dans ce livre ou dans le manuel d'instructions une recette avec un ingrédient principal semblable afin de connaître la quantité que vous pouvez mettre dans votre mijoteuse, et le temps de cuisson nécessaire.

Si vous utilisez des tomates fraîches, diminuez la quantité de liquide du tiers, ou même possiblement de la moitié, mais rappelez-vous qu'il ne faut jamais utiliser une mijoteuse sans liquide.

La viande ne doit pas nécessairement être saisie au préalable, mais vous devez toujours ajouter du bouillon ou de la sauce chaude lorsque vous cuisez des plats salés. Souvenez-vous de couper la viande et les légumes en morceaux de même grosseur et assurez-vous que les légumes racines soient coupés en plus petits morceaux, et qu'ils seront au fond du récipient où la chaleur est plus intense afin qu'ils cuisent plus rapidement.

Si vous utilisez votre mijoteuse comme bain d'eau, pour des plats vapeurs comme des poudings, des pâtés, des pains de viande ou pour un gâteau, vérifiez si votre plat est de la bonne taille avant de commencer. Il n'y a rien de plus frustrant que de réaliser que votre plat est trop grand après que la recette soit terminée et que vous soyez prêt à la faire cuire.

Retirez le maximum de votre mijoteuse

Les mijoteuses ne servent pas seulement à faire cuire des casseroles ou des ragoûts pour le repas principal, mais elles sont idéales pour préparer un repas en tout temps du jour.

Petit déjeuner

Offrez-vous un petit déjeuner cuisiné si votre journée commence tôt ou si vous avez une longue route devant vous. Faites fonctionner votre mijoteuse pour préparer votre petit déjeuner avant d'aller au lit. Un mélange de haricots avec des saucisses fait un bon petit déjeuner, de même que des compotes de fruits séchés garnies de cuillérées de yogourt et de miel.

Vous pouvez préparer le gruau durant la nuit, mais mélangez le lait avec de l'eau, car la longue cuisson pourrait dénaturer le lait. Sinon, utilisez du lait de longue conservation, qui a été soumis à des traitements thermiques, et sucrez le gruau juste avant de le servir. Essayez du Gruau aux bananes épicé (page 42 – 43), préparé le matin avec de l'eau bouillante. Mettez-le à cuire dès votre lever, allez courir ou sortez le chien et à votre retour, vous aurez un déjeuner santé.

Soupes

Préparez des soupes consistantes, en faisant votre bouillon de poulet avec les restes de la carcasse du poulet du repas du dimanche. Passez le liquide, puis ajoutez du riz, des pâtes, des lentilles, de l'orge ou des légumes variés. Vous pouvez réduire la soupe en purée, ou la laisser telle quelle.

Si vous êtes affamé, ajoutez de petites boulettes des viandes, des boulettes de pâte, ou cassez un œuf et laissez-le cuire complètement. Garnissez la soupe avec des croûtons rôtis tartinés de tapenade d'olive, de pesto, ou d'un peu de fromage, des pâtes feuilletées de différentes formes ou avec des croûtons frottés avec une gousse d'ail coupée et grillés dans l'huile d'olive.

Pâtés, rillettes, et pains de viande

En utilisant votre mijoteuse comme bain-marie ou bain d'eau, vous pouvez préparer des pâtés, des rillettes et du pain de viande. Vérifiez si votre plat s'adapte à votre mijoteuse avant de commencer — un moule à soufflé rond est idéal — à le tapisser de bacon et le remplir de pâté fin ou grossier et à le faire cuire jusqu'à ce qu'il soit ferme et que les jus soient clairs. Essayez le Pain de dinde aux canneberges (vois pages 56 – 57) ou préparez la Timbale d'aubergines (voir pages 158 – 159).

Flans aux œufs

Faites cuire de délicieux flans aux œufs individuels ou des crèmes brûlées dans un bain d'eau. La chaleur douce de la mijoteuse leur donne un aspect parfait. Recouvrez de papier d'aluminium pour que la condensation ne tombe pas dans les flans, et cuisez jusqu'à ce qu'ils commencent à être fermes. Pour un pouding individuel, faites cuire de 2½ à 3½ heures à température minimale.

Levez les bassines à pouding

Levez une grande bassine et déposez-la dans la mijoteuse, en attachant une corde autour du rebord de la bassine et en faisant une poignée. Bien que ce ne soit pas important lorsque vous mettez un bassin froid dans la mijoteuse, ça sera indispensable lorsque vous aurez à manipuler une bassine chaude à la fin de la cuisson. Alternativement, utilisez deux longues feuilles de papier d'aluminium et formez deux lanières, placez-les à angle droit et tournez les bouts ensemble pour en former un harnais.

Poudings

Tapissez une grande bassine à pouding avec une croûte de pâte faite avec de la graisse végétale, et remplissez-la soit avec des tranches de bifteck de surlonge soit avec de la croupe et une riche sauce, avec des champignons cuits ou des marrons dans une riche sauce au vin rouge.

Pour des desserts substantiels, trempez les raisins dans le rhum pour avoir une version adulte du pouding à la graisse végétale, ou bien essayez le Pouding avec sirop de marmelade collant (voir pages 200 – 201).

Conserves

Vous pouvez préparer de petits cadeaux, pour vos amis, dans votre mijoteuse en faisant vos confitures et conserves. Même si, dans une mijoteuse, on ne peut pas faire bouillir rapidement une confiture au point où elle se fige, elle est parfaite pour la première étape, pendant laquelle on fait mijoter lentement des oranges entières pour en faire de la marmelade ou on fait cuire des pommes, des coings, ou d'autres fruits pour en obtenir des gelées.

Vous pouvez aussi préparer des chutneys et des conserves de fruits légèrement fermes, comme les Abricots en conserve (voir page 224), dans lesquels un mélange de fruits frais et séchés est cuit ensemble. Même si ce n'est pas réellement une confiture, les fruits séchés se gonflent pour donner une confiture épaisse que l'on peut tartiner, et qui se garde bien au réfrigérateur. Il est également facile de préparer une crème au citron pour laquelle la mijoteuse est utilisée plutôt comme bain-marie ou bain d'eau, éliminant ainsi le danger de surchauffe et de caillage des œufs.

Boissons

Passez le temps un dimanche après-midi froid et humide avec les journaux, un vieux film à la télé et un verre ou deux de Rhum chaud au beurre (voir page 230). Si vous faites une réception en hiver, servez une boisson chaude comme du Vin chaud épicé (voir page 227), qui peut être fait à l'avance et laissé à mijoter. À l'arrivée des invités, enlevez le couvercle et laissez-les se servir eux-mêmes.

Retirez le maximum des casseroles

Il y a plusieurs façons de rendre une casserole simple plus spéciale et plus satisfaisante, en ajoutant des garnitures à la fin du temps de cuisson.

PURÉE DE POMMES DE TERRE

Ajoutez une garniture de purée de pommes de terre et saupoudrez-la de fromage, retirez le récipient de la mijoteuse et faites dorer le fromage sous le gril de la cuisinière. Parce que le récipient est profond, vous ne pourrez probablement pas le placer dans un gril conventionnel séparé, mais vous pourrez le placer dans un four avec gril intégré.

BOULETTES DE PÂTE

Préparez les boulettes en ajoutant à la farine la moitié de la graisse végétale et mélangez avec 15 ml (1 c. à soupe) d'eau pour chaque 25 g (1 oz) de farine. Vous pouvez laisser les boulettes nature ou ajouter des fines herbes hachées, de la moutarde, du poivre broyé et du zeste de citron. Formez des balles de la grosseur d'une noix de Grenoble, ajoutez-les dans la casserole chaude et cuisez à température minimale pendant environ 1 heure, ou à température maximale 30 à 40 minutes, jusqu'à ce qu'elles aient bien levé et qu'elles ne soient pas collantes.

SCONES

À une recette de scones, ajoutez du cheddar, du parmesan, du fromage bleu, des noix de Grenoble, du basilic, des tomates séchées ou des olives noires dénoyautées. Coupez la pâte des scones en cercles ou en pointes, déposez-les sur le dessus de votre casserole et cuisez à température maximale 45 à 60 minutes ou jusqu'à ce qu'ils aient bien levé. Les badigeonner d'œuf avant de les faire dorer sous le gril.

PÂTE FEUILLETÉE

Déroulez des feuilles de pâte feuilletée sur une surface légèrement farinée et coupez des ovales de la grandeur de votre mijoteuse. Transférez-les sur une plaque à cuisson graissée, badigeonnez-les avec un œuf battu, puis laissez-les telles quelles, ou saupoudrez-les de feuilles de thym déchirées et de sel de mer grossier, avec quelques graines de sésame ou un peu de graines de fenouil écrasées. Cuisez dans un four préchauffé à 220 °C (425 °F), à l'indicateur 7 pour les cuisinières au gaz, pendant environ 15 minutes

jusqu'à ce qu'elles aient bien levé et soient dorées. Coupez en pointes et servez sur le dessus de votre casserole.

CRAPAUD DANS LE TROU MODIFIÉ

Achetez des poudings du Yorkshire déjà préparés, réchauffez-les et remplissez-les de Saucisses en sauce d'oignons caramélisés (voir pages 70 – 71) et, ajoutez des légumes vapeur.

PAIN

Tranchez et déposez du pain à l'ail, cuit au four ou grillé, sur la casserole juste avant de servir, ou si vous avez du temps, préparez des croûtons à l'ail en faisant cuire des tranches ou des cubes de pain dans l'huile d'olive et dans le beurre, puis frottez-les avec une gousse d'ail coupée. Ou, faites rôtir quelques tranches de ciabatta ou de pain français et tartinez-les avec du beurre aux fines herbes maison.

Achetez des croustilles de tortillas épicées et déposez-les sur le dessus du bœuf, poulet, ou agneau au piment, émincé. Saupoudrez une légère couche de fromage râpé et quelques feuilles de coriandre. Déposez sur une tortilla chaude, des cuillérées de casserole de bœuf cuit, ajoutez un peu de fromage râpé ou de la crème sure, roulez-les et servez-les avec une salade croquante. Ou bien, déposez des cuillérées de la casserole de bœuf dans une coquille à tacos et la recouvrir de la même façon.

Égayez une compote de fruits

Préparez une compote de fruits comme la Compote de fruits d'hiver (voir page 214) et égayez-la d'une des façons suivantes.

Mettez des cuillérées de compote de fruits dans un moule à tarte, recouvrez d'un mélange de croustillant de saveurs différentes avec un peu de zeste d'orange râpé ou de pâte d'amandes et cuisez au four jusqu'à ce qu'elle soit dorée.

Tapissez le fond d'un plat allant au four avec de la bagatelle de gâteau éponge arrosée d'un peu de xérès. Ajoutez la compote de fruits, une couche de crème anglaise en conserve et des cuillérées de meringue. Cuisez dans un four préchauffé à 180°C (350°F), à l'indicateur 4 pour les cuisinières au gaz, 15 à 20 minutes jusqu'à ce que la meringue soit dorée et que la bagatelle soit complètement chaude.

Recouvrez les fruits avec des cuillérées de yogourt grec aromatisé de 15 à 30 ml (1 à 2 c. à soupe) de crème au citron ou d'une légère couche de miel ou de sirop d'érable.

Trempez des tranches de pain dans 2 œufs battus avec 30 ml (2 c. à soupe) de lait, faites cuire dans un peu de beurre jusqu'à ce qu'elles soient dorées, puis recouvrez de cuillérées de fruits, saupoudrez de sucre à glacer et de cannelle moulue.

Versez des cuillérées de compote sur des crêpes déjà préparées et réchauffées, sur des scones écossais ou sur des gaufres grillées. Recouvrez de cuillérées de crème épaisse ou de crème glacée à la vanille et arrosez de sirop d'érable.

Versez des cuillérées de compote froide sur une pavlova cuite recouverte de crème fouettée ou de nids de meringues.

Entretien de votre mijoteuse

Parce que la mijoteuse chauffe les aliments à une température plus basse que les fours conventionnels, son nettoyage est un jeu d'enfant: il n'y a pas d'éclaboussures brûlées à frotter. Pour enlever les taches les plus rebelles, remplissez le récipient de la mijoteuse d'une eau chaude savonneuse, et laissez tremper. Utilisez un chiffon doux pour essuyer l'intérieur et l'extérieur de la mijoteuse avec une crème ou un nettoyant pour l'acier inoxydable, selon le fini. N'immergez jamais la mijoteuse dans l'eau, et assurez-vous qu'elle est débranchée avant de la nettoyer. Certains récipients, peuvent aller au lave-vaisselle, alors vérifiez dans votre manuel d'instructions.

N'oubliez pas

* Certaines mijoteuses doivent être préchauffées avant usage.
* La viande, la volaille, le poisson, et les produits laitiers doivent être complètement décongelés avant d'être ajoutés dans la mijoteuse.
* Ajoutez toujours du liquide chaud dans le récipient avant la cuisson.
* Les aliments ne dorent pas dans la mijoteuse, alors ou bien vous les faites dorer au préalable sur la cuisinière, ou bien vous faites dorer le dessus d'une casserole déjà cuite en enlevant le récipient de la mijoteuse et en le faisant dorer au four sous le gril.
* Ne levez pas le couvercle durant la première heure de cuisson, alors que la mijoteuse est en train de chauffer à une température sécuritaire et optimale.
* Pendant que la mijoteuse chauffe, il se forme un joint d'étanchéité directement sous le couvercle. Chaque fois que vous levez le couvercle, vous brisez ce joint, alors il faut ajouter 20 minutes supplémentaires au temps de cuisson.
* L'extérieur de la mijoteuse devient chaud lorsqu'elle est en usage.
* Ne laissez pas refroidir la casserole dans le récipient de la mijoteuse lorsque vous la débranchez.
* Ne réchauffez jamais des aliments déjà cuits dans une mijoteuse.

Un gros bol de soupe bien chaude, lorsqu'il fait froid, a quelque chose de bien réconfortant. Les soupes sont pratiques si tous les membres de votre famille ne mangent pas à la même heure — chacun peut se servir lorsqu'il arrive. Une soupe servie avec un morceau de pain croûté est le meilleur repas à déguster devant la télévision.

PRÉPARATION **35 minutes**

TEMPÉRATURE **minimale**

TEMPS **8¾ — 11 heures**

PORTIONS **4**

Bouillon de légumes avec miniboulettes de pâte au bacon

40 g (1½ oz) de beurre

1 poireau tranché, les parties blanches et vertes séparées

150 g (5 oz) de chou-navet blanc, coupé en dés

150 g (5 oz) de panais, coupé en dés

150 g (5 oz) de carottes coupées en dés

1 branche de céleri, tranchée

50 g (2 oz) d'orge perlé

1 l (1¾ chopine) de bouillon de légumes ou de poulet encore bouillant

2 ou 3 tiges de sauge

5 ml (1 c. à thé) de moutarde anglaise

sel et poivre

BOULETTES DE PÂTE

75 g (3 oz) de farine préparée pour gâteaux et pâtisseries

40 g (1½ oz) de graisse végétale

2 tranches de bacon entrelardé, coupé en dés fins

environ 45 ml (3 c. à soupe) d'eau

Préchauffer la mijoteuse si nécessaire ; voir les instructions du manufacturier. Dans une poêle à frire, chauffer le beurre, ajouter la partie blanche tranchée du poireau et cuire 2 à 3 minutes pour les ramollir. Ajouter les légumes-racine et le céleri et cuire 4 à 5 minutes.

Déposer l'orge perlé dans le récipient de la mijoteuse. Ajouter les légumes, le bouillon bouillant et la sauge. Incorporer la moutarde avec un peu de sel et de poivre. Mettre le couvercle et cuire à basse température 8 à 10 heures, jusqu'à ce que les légumes et l'orge soient tendres.

Préparer les boulettes de pâte. Dans un bol, déposer la farine, la graisse végétale et le bacon avec un peu de sel et de poivre. Mélanger, et ajouter graduellement un peu d'eau pour obtenir une pâte molle, mais non collante. Sur une surface légèrement farinée, pétrir légèrement, puis couper en 12 morceaux. Former des boules.

Ajouter les parties vertes restantes du poireau dans la soupe, incorporer les boulettes de pâte, et les espacer un peu, puis replacer le couvercle et cuire à basse température 45 à 60 minutes supplémentaires, jusqu'à ce que les boulettes soient légères et moelleuses. À l'aide d'une louche, verser dans les bols et servir.

Adaptez cette soupe pour utiliser les légumes d'hiver que vous avez sous la main, en n'oubliant pas de les couper à 1,5 centimètre (¾ pouce) afin qu'ils puissent cuire uniformément dans le temps spécifié dans la recette. Si vous n'avez pas de poireau, utilisez un oignon.

PRÉPARATION **15 minutes**

TEMPÉRATURE **maximale**

TEMPS **2½ — 3½ heures**

PORTIONS **4**

Chaudrée d'aiglefin fumé avec bacon

- **25 g (1 oz) de beurre**
- **1 oignon, haché finement**
- **300 g (10 oz) de pommes de terre, coupées en dés fins**
- **4 tranches de bacon entrelardé, coupées en dés**
- **750 ml (1¼ chopine) de fumet de poisson bouillant**
- **1 épi de maïs, les feuilles enlevées et les grains coupés, ou 125 g (4 oz) de maïs sucré (décongelé)**
- **1 feuille de laurier**
- **550 g (1 lb) d'aiglefin fumé, la peau enlevée**
- **150 ml (¼ chopine) de double-crème**
- **sel et poivre**
- **persil haché, pour garnir**

Préchauffer la mijoteuse si nécessaire; voir les instructions du manufacturier. Dans une poêle à frire, chauffer le beurre, ajouter l'oignon, les pommes de terre et le bacon, puis cuire un peu. Brasser jusqu'à ce que le mélange commence à colorer.

Déposer dans le récipient de la mijoteuse. Verser le bouillon bouillant, puis ajouter le maïs, la feuille de laurier, et un peu de sel et de poivre. Mettre le couvercle et cuire à température élevée 2 à 3 heures ou jusqu'à ce que les pommes de terre soient tendres.

Ajouter le poisson et presser pour le recouvrir de bouillon. Couper les morceaux en deux, si nécessaire. Remettre le couvercle et cuire pendant 30 minutes, jusqu'à ce que le poisson se défasse à la pression d'un couteau.

À l'aide d'une cuillère à égoutter, transférer le poisson dans une assiette pour le défaire en morceaux avec un couteau et une fourchette, bien surveiller les arêtes, et les enlever au besoin. Incorporer la crème dans la soupe, puis remettre le poisson. Saupoudrer de persil et servir.

Cette soupe cuit rapidement, alors assurez-vous de hacher les oignons finement et de couper les pommes de terre en dés fins d'environ 1 centimètre (½ pouce), pour qu'ils prennent le même temps à cuire.

PRÉPARATION **20 minutes**

TEMPÉRATURE **minimale**

TEMPS **6 — 8 heures**

PORTIONS **4**

Soupe de lentilles et d'aubergines aux tomates

- **45 à 60 ml (3 à 4 c. à soupe) d'huile d'olive, un peu plus pour garnir (facultatif)**
- **1 aubergine, tranchée**
- **1 oignon, haché**
- **2 gousses d'ail, hachées finement**
- **2,5 ml (½ c. à thé) de paprika fumé (pimenton)**
- **5 ml (1 c. à thé) de cumin moulu**
- **125 g (4 oz) de lentilles rouges**
- **1 boîte de 400 g (13 oz) de tomates hachées**
- **750 ml (1¼ chopine) de bouillon de légumes bouillant**
- **sel et poivre**
- **coriandre hachée, pour garnir**
- **tranches de pain ciabatta grillées, pour servir (facultatif)**

Préchauffer la mijoteuse si nécessaire ; voir les instructions du manufacturier. Chauffer 15 ml (1 c. à soupe) d'huile dans une poêle à frire, ajouter autant de tranches d'aubergines que vous pouvez pour couvrir le fond la poêle, et cuire jusqu'à ce qu'elles soient tendres et dorées des deux côtés.

Transférer dans une assiette, ajouter 15 à 30 ml (1 à 2 c. à soupe) supplémentaires d'huile et cuire les aubergines restantes. Les ajouter à l'assiette avec les autres tranches d'aubergines déjà cuites.

Ajouter l'huile restante à la poêle et cuire les oignons 5 minutes, jusqu'à ce qu'ils soient tendres. Incorporer l'ail, le paprika et le cumin, et cuire 1 minute. Ajouter les lentilles et les tomates, puis mélanger. Ajouter un peu de sel et de poivre, puis porter à ébullition. Verser le mélange dans le récipient de la mijoteuse, et incorporer le bouillon bouillant.

Mettre le couvercle et cuire à température minimale 6 à 8 heures. Servir la soupe telle quelle ou la réduire en purée à l'aide d'un mélangeur à main, si vous préférez. Verser dans les bols à l'aide d'une louche, et arroser d'un peu d'huile d'olive supplémentaire, saupoudrer de coriandre et servir avec des tranches de ciabatta grillées.

Si vous avec un mélangeur à main, utilisez-le pour réduire la soupe en purée, alors qu'elle est encore dans le récipient : c'est rapide, facile, et il y a moins de vaisselle à laver. Sinon, laissez la soupe telle quelle et recouvrez-la de petits morceaux de bacon croustillant ou de tranches de pancetta frite.

PRÉPARATION **30 minutes**

TEMPÉRATURE **maximale et minimale**

TEMPS **2¼ — 3¼ heures**

PORTIONS **4**

Bouillon avec boulettes
de pâte au poisson à la thaïlandaise

900 ml (1½ chopine) de bouillon de poisson bouillant

10 ml (2 c. à thé) de sauce au poisson thaïe (Nam Pla)

15 ml (1 c. à soupe) de pâte de cari rouge thaï

15 ml (1 c. à soupe) sauce soja

1 poignée de ciboule, émincée

1 carotte, tranchée mince

2 gousses d'ail, hachées finement

1 botte d'asperges, parées et les tiges coupées en 4

2 pak-choï, en tranches épaisses, ou 200 g (7 oz) de bette à carde

BOULETTES DE PÂTE

15 g (½ oz) de feuilles de coriandre

1 racine de gingembre frais de 3,5 cm (1½ po), pelée et tranchée

400 g (13 oz) de morue, la peau enlevée

15 ml (1 c. à soupe) de farine de maïs

1 blanc d'œuf

Préchauffer la mijoteuse si nécessaire ; voir les instructions du manufacturier. Verser le bouillon de poisson bouillant dans le récipient de la mijoteuse, ajouter la sauce de poisson, la pâte de cari et la sauce soja. Ajouter la moitié de la ciboule, la carotte et l'ail, puis mettre le couvercle et cuire à température maximale, pendant la préparation des boulettes de pâte.

Mettre la ciboule restante dans un robot culinaire avec la coriandre et le gingembre et hacher finement. Ajouter la morue, la farine de maïs et le blanc d'œuf et mélanger jusqu'à ce que le poisson soit haché finement.

Avec les mains mouillées, former 12 boulettes avec le mélange, et les déposer dans la mijoteuse. Mettre le couvercle et cuire à température minimale 2 à 3 heures.

Juste avant de servir, ajouter les asperges et le pak-choï au bouillon. Remettre le couvercle et cuire 15 minutes jusqu'à ce que les légumes soient tendres. À l'aide d'une louche, verser dans les bols.

Si vous avez très faim, faites bouillir 125 grammes (4 onces) de nouilles aux œufs dans une casserole d'eau bouillante, égouttez-les et déposez-les dans les bols avant de verser la soupe et les boulettes.

PRÉPARATION **20 minutes**

TEMPÉRATURE **minimale et maximale**

TEMPS **4 — 5 heures**

PORTIONS **4**

Soupe de chou-fleur au fromage

- **25 g (1 oz) de beurre**
- **15 ml (1 c. à soupe) d'huile d'olive**
- **1 oignon, haché**
- **1 petite pomme de terre à cuire au four, environ 150 g (5 oz), coupée en dés fins**
- **1 chou-fleur, paré et coupé en bouquets (environ 500 g [1 lb] lorsque préparé)**
- **600 ml (1 chopine) de bouillon de légumes**
- **5 ml (1 c. à thé) de moutarde anglaise**
- **15 ml (3 c. à thé) de sauce Worcestershire**
- **50 g (2 oz) de parmesan ou de cheddar vieilli, râpé**
- **200 ml (7 oz) de lait**
- **un peu de muscade fraîche rapée finement**
- **150 ml (¼ chopine) de double-crème**
- **sel et poivre**
- **croûtons, pour servir (facultatif)**

Préchauffer la mijoteuse si nécessaire; voir les instructions du manufacturier. Dans une poêle à frire, chauffer le beurre et l'huile, ajouter l'oignon et la pomme de terre, et cuire 5 minutes ou jusqu'à ce que les légumes aient ramolli, mais n'aient pas changé de couleur. Ajouter le chou-fleur, verser le bouillon, la moutarde, la sauce Worcestershire et le fromage. Assaisonner d'un peu de sel et de poivre et porter à ébullition.

Verser dans la mijoteuse, mettre le couvercle et cuire à température minimale 4 à 5 heures jusqu'à ce que les légumes soient tendres.

Réduire la soupe en purée avec un mélangeur à main alors que la soupe est encore dans la mijoteuse ou la transférer dans un mélangeur et la réduire en purée lisse. Retourner la soupe dans le récipient de la mijoteuse. Ajouter le lait et remuer, replacer le couvercle et cuire à température maximale 15 minutes, jusqu'à ce qu'elle ait réchauffé. Ajouter de la muscade au goût et remuer.

À l'aide d'une louche, verser dans les bols, ajouter la crème, faire des tourbillons, et saupoudrer d'un peu plus de muscade ou ajouter quelques croûtons, ou faire les deux, si désiré.

PRÉPARATION **25 minutes**

TEMPÉRATURE **minimale**

TEMPS **6¼ — 8¼ heures**

PORTIONS **4**

Soupe de fenouil et de carottes à l'orange

25 g (1 oz) de beurre

15 ml (1 c. à soupe) d'huile de tournesol

1 gros oignon, haché

5 ml (1 c. à thé) de graines de fenouil, broyées grossièrement

625 g (1¼ lb) de carottes, coupées en dés

zeste râpé et jus de 1 orange

1 l (1¾ chopine) de bouillon de légumes

sel et poivre

POUR SERVIR

120 ml (8 c. à soupe) de double-crème

une poignée de croûtons

Préchauffer la mijoteuse si nécessaire; voir les instructions du manufacturier. Chauffer le beurre et l'huile dans une poêle à frire, ajouter l'oignon et cuire, en brassant, 5 minutes ou jusqu'à ce que les oignons commencent à être tendres.

Ajouter les graines de fenouil, remuer et cuire 1 minute pour qu'elles parfument. Ajouter les carottes et cuire pendant 2 minutes supplémentaires, puis ajouter le zeste et le jus d'orange. Mélanger. Transférer dans le récipient de la mijoteuse.

Dans la poêle à frire, porter le bouillon à ébullition, ajouter le sel et le poivre, et verser dans le récipient de la mijoteuse. Mettre le couvercle et cuire à température minimale 6 à 8 heures ou jusqu'à ce que les carottes soient tendres.

Transférer dans un mélangeur et réduire en purée, en lots si nécessaire, jusqu'à ce que la soupe soit lisse, puis retourner dans le récipient de la mijoteuse. Sinon, réduire en purée à l'aide d'un mélangeur à main alors qu'elle est encore dans le récipient . Réchauffer, si nécessaire, dans le récipient de la mijoteuse couvert, environ 15 minutes. À l'aide d'une louche, verser dans les bols et servir avec un peu de crème et des croûtons.

PRÉPARATION **15 minutes**

TEMPÉRATURE **maximale**

TEMPS **3¼ — 4½ heures**

PORTIONS **4**

Crabe au gombo

15 ml (1 c. à soupe) d'huile de tournesol
1 oignon, haché finement
1 gousse d'ail, hachée
2 branches de céleri, tranchées
1 carotte, coupée en petits dés
1 boîte de 400 g (13 oz) de tomates broyées
600 ml (1 chopine) de bouillon de poisson
500 g (2 oz) de riz blanc à cuisson rapide
1 feuille de laurier
2 brindilles de thym
1,25 ml (¼ c. à thé) de flocons de chile séchés et broyés
75 g (3 oz) de gombo, nettoyés et tranchés
1 boîte de 43 g (1¾ oz) de chair de crabe parée
sel et poivre

POUR SERVIR
1 boîte de 170 g (5¾ oz) de chair blanche de crabe (facultatif)
pain croûté

Préchauffer la mijoteuse si nécessaire ; voir les instructions du manufacturier. Chauffer l'huile dans une poêle à frire, ajouter l'oignon et cuire 5 minutes ou jusqu'à ce que les oignons commencent à être tendres. Ajouter l'ail, le céleri et la carotte et mélanger, puis incorporer les tomates, le bouillon, le riz, les fines herbes et le chile. Assaisonner d'un peu de sel et de poivre, et porter à ébullition.

Verser dans le récipient de la mijoteuse, mettre le couvercle et cuire à température maximale 3 à 4 heures jusqu'à ce que les légumes et le riz soient tendres.

Remuer la soupe, puis ajouter le gombo, et le crabe paré. Remettre le couvercle et cuire 20 à 30 minutes. À l'aide d'une louche, verser dans des bols, recouvrir de flocons de chair blanche de crabe, si désiré, et servir avec du pain croûté chaud.

Si vous ne pouvez pas vous procurer de gombo, ajoutez le même poids de haricots verts. Si désiré, vous pouvez également ajouter des poivrons rouges ou orange coupés en dés avec du céleri ou une grosse poignée de crevettes (décongelées), avec le crabe paré à la fin.

PRÉPARATION **20 minutes**

TEMPÉRATURE **minimale**

TEMPS **6 — 8 heures**

PORTIONS **4**

Soupe de pois chiches avec chorizo

30 ml (2 c. à soupe) d'huile d'olive
1 oignon, haché
2 gousses d'ail, hachées finement
150 g (5 oz) de chorizo, la peau enlevée et coupée en dés
3,75 ml (¾ c. à thé) de paprika fumé (pimenton)
2 à 3 brindilles de thym
1 l (1¾ chopine) de bouillon de poulet
15 ml (1 c. à soupe) de purée de tomates
375 g (12 oz) de patates douces, coupées en dés
1 boîte de 410 g (13½ oz) de pois chiches, égouttés
sel et poivre
persil haché ou feuilles de thym supplémentaires, pour garnir

Préchauffer la mijoteuse si nécessaire ; voir les instructions du manufacturier. Chauffer l'huile dans une poêle à frire, ajouter l'oignon et cuire, en brassant, 5 minutes ou jusqu'à ce que les oignons commencent à être dorés.

Ajouter l'ail et le chorizo, remuer et cuire 2 minutes. Ajouter le paprika, le thym, le bouillon, la purée de tomates, mélanger, et porter à ébullition, en brassant, puis ajouter un peu de sel et de poivre.

Déposer les patates douces et les pois chiches dans le récipient de la mijoteuse et verser le mélange de bouillon chaud. Mettre le couvercle et cuire à température minimale 6 à 8 heures, jusqu'à ce que les patates douces soient tendres.

À l'aide d'une louche, verser dans les bols, saupoudrer d'un peu de persil haché ou de thym, et servir avec des pitas chauds, si désiré.

PRÉPARATION **10 minutes**

TEMPÉRATURE **maximale**

TEMPS **5¼ — 7½ heures**

PORTIONS **4**

Bouillon de poulet et nouilles

1 carcasse de poulet
1 oignon, coupé en quartiers
2 carottes, tranchées
2 branches de céleri, tranchées
1 bouquet garni
1,25 l (2¼ chopines) d'eau bouillante
75 g (3 oz) de vermicelle
60 ml (4 c. à soupe) de persil haché
sel et poivre
pain, pour servir (facultatif)

Préchauffer la mijoteuse si nécessaire ; voir les instructions du manufacturier. Mettre la carcasse de poulet dans le récipient de la mijoteuse et la briser en deux, si nécessaire. Ajouter l'oignon, les carottes, le céleri et le bouquet garni.

Verser l'eau bouillante et ajouter un peu de sel et de poivre. Mettre le couvercle et cuire à température maximale 5 à 7 heures.

Passer la soupe dans un grand tamis, puis verser rapidement le liquide chaud dans le récipient de la mijoteuse. Retirer toute viande de la carcasse et la mettre dans le récipient. Goûter et rectifier l'assaisonnement au besoin. Ajouter les pâtes, mettre le couvercle et cuire à température maximale 20 à 30 minutes jusqu'à ce que les pâtes soient cuites al dente.

Saupoudrer de persil, et à l'aide d'une louche, verser dans des bols profonds. Servir avec du pain chaud, si désiré.

Repas légers

Voici quelques idées pour des petites collations et des recettes rapides pour le petit déjeuner, le déjeuner et le goûter. Certaines recettes pour le petit déjeuner peuvent être mises à cuire avant d'aller au lit, alors vous aurez un petit déjeuner chaud qui vous attendra le matin au lever.

PRÉPARATION **5 minutes**

TEMPÉRATURE **minimale**

TEMPS **8 — 10 heures, ou toute la nuit**

PORTIONS **4**

Compote pour le petit déjeuner

1 sachet de thé pour le petit déjeuner
600 ml (1 chopine) d'eau bouillante
150 g (5 oz) de pruneaux dénoyautés
150 g (5 oz) de figues séchées
75 g (3 oz) de sucre semoule
5 ml (1 c. à thé) d'extrait de vanille
zeste de ½ orange

POUR SERVIR
yogourt nature
muesli

Préchauffer la mijoteuse si nécessaire ; voir les instructions du manufacturier. Mettre le sachet de thé dans un pot ou dans une théière, ajouter l'eau bouillante et laisser infuser 2 à 3 minutes. Retirer le sachet de thé et verser le thé dans le récipient de la mijoteuse.

Ajouter les pruneaux entiers et les figues, le sucre et l'extrait de vanille au thé chaud, saupoudrer de zeste d'orange et bien mélanger. Mettre le couvercle et cuire à température minimale 8 à 10 heures, ou toute la nuit.

Servir chaud avec des cuillérées de yogourt nature et saupoudrer de muesli.

Ce régal pour le petit déjeuner est délicieux avec un sachet de thé Earl Grey, qui ajoute une saveur piquante de bergamote. Il peut également être servi chaud, comme dessert, avec des meringues remplies de crème ou des cuillerées de crème glacée.

PRÉPARATION **10 minutes**

TEMPÉRATURE **maximale**

TEMPS **40 — 45 minutes**

PORTIONS **4**

Œufs en cocotte
avec saumon fumé

25 g (1 oz) de beurre

4 œufs

60 ml (4 c. à soupe) de double-crème

10 ml (2 c. à thé) de ciboulette, hachée

5 ml (1 c. à thé) d'estragon, haché

sel et poivre

POUR SERVIR

200 g (7 oz) de saumon fumé, tranché

4 quartiers de citron

4 tranches de pain grillé

Préchauffer la mijoteuse si nécessaire ; voir les instructions du manufacturier. Beurrer généreusement l'intérieur de 4 ramequins résistant à la chaleur de 150 ml (¼ chopine) et casser 1 œuf dans chacun.

Arroser les œufs de crème et saupoudrer de fines herbes et d'un peu de sel et de poivre. Transférer les ramequins dans le récipient de la mijoteuse et verser l'eau bouillante jusqu'à la mi-hauteur extérieure des ramequins.

Mettre le couvercle (vous n'avez pas besoin de couvrir les plats de papier d'aluminium) et cuire à température maximale 40 à 45 minutes ou jusqu'à ce que les blancs d'œufs soient fermes, mais le jaune légèrement mou.

À l'aide d'un linge à vaisselle, retirer, avec précaution, les ramequins du récipient de la mijoteuse, les transférer dans une assiette et servir avec du saumon fumé, des quartiers de citron et des triangles de pain grillé.

Pour un peu de changement, servez les œufs avec du jambon tranché ou du bacon grillé et des muffins anglais grillés. Vous pouvez aussi les servir accompagnés d'une salade garnie d'un filet de vinaigrette à la moutarde.

PRÉPARATION **5 minutes**

TEMPÉRATURE **minimale**

TEMPS **1 — 2 heures**

PORTIONS **4**

Gruau aux bananes épicé

600 ml (1 chopine) d'eau bouillante
300 ml (½ chopine) de lait entier traité à ultra haute température
150 g (5 oz) de flocons d'avoine
2 bananes
60 ml (4 c. à soupe) de sucre muscovado, pâle ou foncé
1,25 ml (¼ c. à thé) de cannelle moulue

Préchauffer la mijoteuse si nécessaire ; voir les instructions du manufacturier. Verser l'eau bouillante et le lait dans le récipient de la mijoteuse, ajouter les flocons d'avoine et mélanger.

Mettre le couvercle et cuire à température minimale 1 heure pour un gruau clair ou 2 heures pour un gruau épais.

À l'aide d'une cuillère, verser dans les bols, trancher les bananes et les diviser entre les bols. Mélanger le sucre et la cannelle et saupoudrer sur le dessus des bols de gruau. Servir immédiatement.

Cette recette est parfaite pour ceux qui aiment courir ou sortir le chien avant le petit déjeuner. Mettez la mijoteuse en marche avant de sortir et vous aurez un petit déjeuner chaud et délicieux à votre retour.

PRÉPARATION **20 minutes**

TEMPÉRATURE **minimale**

TEMPS **9 — 10 heures, ou toute la nuit**

PORTIONS **4**

Petit déjeuner riche et copieux

15 ml (1 c. à soupe) d'huile de tournesol

12 saucisses chipolata aux fines herbes, environ 400 g (13 oz) au total

1 oignon, tranché finement

500 g (1 lb) de pommes de terre, pelées et coupées en morceaux de 2,5cm (1 po)

375 g (12 oz) de tomates, hachées grossièrement

125 g (4 oz) de boudin, pelé et coupé en morceaux

250 ml (8 oz) de bouillon de légumes

30 ml (2 c. à soupe) de sauce Worcestershire

5 ml (1 c. à thé) de moutarde anglaise

2 à 3 brindilles de thym, un peu plus pour garnir

sel et poivre

POUR SERVIR
tranches de pain blanc (facultatif)

4 œufs pochés (facultatif)

Préchauffer la mijoteuse si nécessaire ; voir les instructions du manufacturier. Chauffer l'huile dans une poêle à frire, ajouter les saucisses et faire dorer d'un côté, les tourner et ajouter les oignons. Poursuivre la cuisson en tournant les saucisses et en remuant les oignons jusqu'à ce que les saucisses soient dorées mais non cuites.

Ajouter les pommes de terre, les tomates et le boudin dans le récipient de la mijoteuse. À l'aide d'une cuillère à égoutter, enlever les saucisses et les oignons de la poêle à frire et les transférer dans le récipient de la mijoteuse. Jeter le surplus de gras, puis ajouter le bouillon, la sauce Worcestershire et la moutarde dans la poêle. Déchirer les feuilles des branches de thym et les ajouter à la poêle avec un peu de sel et de poivre.

Porter la sauce à ébullition et verser sur les saucisses. Presser les pommes de terre pour qu'elles soient recouvertes de liquide. Mettre le couvercle et cuire à température minimale 9 à 10 heures ou toute la nuit.

Remuer avant de servir et garnir de feuilles de thym supplémentaires. Servir avec des tranches de pain blanc ou des œufs pochés, si désiré.

PRÉPARATION **15 minutes**

TEMPÉRATURE **minimale**

TEMPS **9 — 10 heures, ou toute la nuit**

PORTIONS **4**

Saucisses et haricots, faciles à préparer

15 ml (1 c. à soupe) d'huile de tournesol
1 oignon, haché
2,5 ml (½ c. à thé) de paprika fumé (pimenton)
2 boîtes de 410 g (13½ oz) de haricots cuits au four
10 ml (2 c. à thé) de moutarde à l'ancienne
30 ml (2 c. à soupe) de sauce Worcestershire
90 ml (6 c. à soupe) de bouillon de légumes
2 tomates, hachées grossièrement
½ poivron rouge, pelé, épépiné, évidé et coupé en dés
350 g (11½ oz) de saucisses fumées froides, en tranches épaisses
sel et poivre
pain grillé beurré, pour servir

Préchauffer la mijoteuse si nécessaire ; voir les instructions du manufacturier. Chauffer l'huile dans une poêle à frire, ajouter l'oignon et cuire, en brassant, 5 minutes ou jusqu'à ce que les oignons commencent à tout juste à être dorés.

Incorporer le paprika, et cuire 1 minute, puis ajouter les haricots, la moutarde, la sauce Worcestershire et le bouillon et mélanger. Porter à ébullition, puis ajouter les tomates, le poivron rouge, un peu de sel et de poivre et mélanger.

Ajouter les saucisses fumées dans le récipient de la mijoteuse et verser dessus le mélange de haricots cuits au four. Mettre le couvercle et cuire à température minimale 9 à 10 heures ou toute la nuit.

Bien mélanger puis, à l'aide d'une cuillère, verser dans des plats peu profonds et servir avec du pain grillé beurré.

Les restes peuvent être réchauffés dans une casserole ou dans un four à micro-ondes et servis avec du riz. Sinon, essayez-les verser sur des pommes de terre en robe des champs croustillantes, tout juste sorties du four.

PRÉPARATION **15 minutes**

TEMPÉRATURE **maximale**

TEMPS **1½ — 2 heures**

PORTIONS **4**

Frittata de courgettes et de fèves

40 g (1½ oz) de beurre
4 ciboules, tranchées
1 courgette, environ 200 g (7 oz), tranchée finement
100 g (3½ oz) de gousses de fèves fraîches
6 œufs
250 ml (8 oz) de crème fraîche, riche en matières grasses
10 ml (2 c. à thé) d'estragon, haché
30 ml (2 c. à soupe) de persil, haché
sel et poivre

POUR SERVIR
salade
Chutney de betteraves (facultatif)

Préchauffer la mijoteuse si nécessaire ; voir les instructions du manufacturier. Dans un bol, déposer le beurre, les oignons et la courgette et cuire au four à micro-ondes 2½ à 3 minutes, à puissance maximale, jusqu'à ce que le beurre ait fondu.

Tapisser le récipient de la mijoteuse d'un morceau de papier parchemin, puis y déposer la courgette, le mélange de beurre et ajouter les fèves. Dans un bol, fouetter ensemble à la fourchette les œufs, la crème fraîche, les fines herbes et un peu de sel et de poivre, puis verser dans la mijoteuse.

Mettre le couvercle et cuire la frittata à température maximale, 1½ à 2 heures, jusqu'à ce qu'elle soit ferme dans le centre. Détacher les bords à l'aide d'un couteau à lame ronde, retirer le récipient de la mijoteuse avec des gants de cuisinier, puis couvrir le récipient d'une grande assiette, inverser le récipient sur l'assiette, puis retirer la frittata. Enlever le papier et couper la frittata en pointes. Servir avec une salade et des cuillérées de Chutney aux betteraves (voir pages 218 — 219), si désiré.

Ce léger lunch d'été est idéal pour ceux qui n'ont pas beaucoup de temps, car il ne demande pas de cuisson, au préalable. Vous pouvez utiliser des haricots congelés, mais assurez-vous qu'ils sont décongelés avant de les ajouter dans le récipient de la mijoteuse.

PRÉPARATION **15 minutes**

TEMPÉRATURE **maximale**

TEMPS **2 — 3 heures**

PORTIONS **4**

Chili de maïs doux

15 ml (1 c. à soupe) d'huile de tournesol

1 oignon, haché finement

1 poivron orange, évidé, épépiné et coupé en dés

100 g (3½ oz) de maïs sucré, décongelé

1 gousse d'ail, hachée finement

1 grosse pincée (ou un peu plus au goût) de flocons de chile séchés et broyés

2,5 ml (½ c. à thé) de cumin moulu

5 ml (1 c. à thé) coriandre moulue

1 boite de 410 g (13½ oz) de légumineuses mélangées

1 boite de 400 g (13 oz) de tomates broyées

150 ml (¼ chopine) de bouillon de légumes

10 ml (2 c. à thé) de cassonade

sel et poivre

POUR SERVIR

120 ml (8 c. à soupe) de crème fraîche

fromage cheddar râpé

4 pommes de terre cuites au four (facultatif)

Préchauffer la mijoteuse si nécessaire ; voir les instructions du manufacturier. Chauffer l'huile dans une poêle à frire, ajouter l'oignon et cuire 5 minutes, en brassant, jusqu'à ce qu'il soit tendre. Ajouter le poivron, le maïs sucré, l'ail et les épices, mélanger et cuire 1 minute, puis ajouter les légumineuses, les tomates, le bouillon et la cassonade. Ajouter un peu de sel et de poivre, bien mélanger et porter à ébullition.

Verser le mélange dans le récipient de la mijoteuse, mettre le couvercle et cuire à température maximale, 2 à 3 heures.

Servir le chili avec de la crème fraîche et du fromage ou en déposer, à l'aide d'une cuillère, dans des pommes de terre cuites au four.

Vous pouvez ajouter 250 g (8 oz) de bœuf haché très maigre lorsque vous faites cuire l'oignon. Augmentez le temps de cuisson à 3 à 4 heures. Au lieu de le servir avec des pommes de terre cuites au four, vous pouvez couvrir le chili d'une tortilla, recouverte de crème fraîche et de fromage râpé.

PRÉPARATION **30 minutes**

TEMPÉRATURE **maximale**

TEMPS **2 — 3 heures**

PORTIONS **4**

Terrine de légumes rôtis à la méditerranéenne

375 g (12 oz) de courgettes, tranchées finement

1 poivron rouge, évidé, épépiné et coupé en quartiers

1 poivron orange, évidé, épépiné et coupé en quartiers

30 ml (2 c. à soupe) d'huile d'olive

1 gousse d'ail, hachée finement

2 œufs

150 ml (¼ chopine) de parmesan, râpé

45 ml (3 c. à soupe) de basilic haché

sel et poivre

salade, pour servir (facultatif)

Préchauffer la mijoteuse si nécessaire ; voir les instructions du manufacturier. Tapisser la grille de papier d'aluminium. Déposer tous les légumes sur le papier d'aluminium, en une seule couche, en mettant le côté de la peau des poivrons, vers le haut. Arroser d'huile et saupoudrer d'ail, de sel et de poivre.

Griller les légumes 10 minutes ou jusqu'à ce qu'ils soient tendres et dorés. Transférer les tranches de courgette dans une assiette et envelopper les poivrons dans le papier d'aluminium. Laisser reposer 5 minutes pour que la peau se détache.

Dans un bol, battre ensemble les œufs, le lait, le parmesan, le basilic et un peu de sel et de poivre. Huiler légèrement un moule à pain de 500 g (1 lb) et tapisser la base et les deux côtés les plus longs, de papier parchemin.

Développer les poivrons, enlever la peau, à l'aide d'un petit couteau bien aiguisé, et ajouter à la crème tout jus contenu dans le papier d'aluminium. Déposer le tiers des tranches de courgette dans le fond du récipient de la mijoteuse, ou jusqu'à ce que le fond soit recouvert. À l'aide d'une cuillère, mettre un peu de crème de basilic, puis ajouter les poivrons rouges et un peu plus de crème. Répéter, en terminant avec une couche de courgette et de la crème. Couvrir lâchement le moule de papier d'aluminium huilé et le déposer dans le récipient de la mijoteuse.

Verser de l'eau bouillante dans le récipient jusqu'à la moitié du moule. Mettre le couvercle et cuire à température maximale 2 à 3 heures ou jusqu'à ce que la crème soit ferme. À l'aide d'un linge à vaisselle, retirer le moule du récipient et laisser refroidir.

À l'aide d'un couteau à lame ronde, détacher les bords de la terrine. Retourner le moule sur une planche à découper et retirer le papier. Trancher la terrine et servir avec une salade, si désiré.

PRÉPARATION **30 minutes**

TEMPÉRATURE **maximale**

TEMPS **5 — 6 heures**

PORTIONS **4**

Rillettes de canard et de porc aux pommes

2 cuisses de canard

500 g (1 lb) de tranches de flanc de porc sans couenne

1 oignon, coupé en quartiers

1 pomme à couteau acide telle une Granny Smith, pelée, le cœur enlevé, coupée en tranches épaisses

2 à 3 brindilles de thym

250 ml (8 oz) de bouillon de poulet

150 ml (¼ chopine) de cidre sec

sel et poivre

POUR SERVIR

pain croûté

radis

échalotes marinées (facultatif)

Préchauffer la mijoteuse si nécessaire; voir les instructions du manufacturier. Déposer le canard et le flanc de porc dans le récipient de la mijoteuse. Placer les morceaux d'oignon et de pomme entre les morceaux de viande et ajouter le thym.

Verser le bouillon et le cidre dans une casserole, ajouter beaucoup de sel et de poivre, et porter à ébullition.

Verser le liquide chaud dans le récipient de la mijoteuse, mettre le couvercle, et cuire à température maximale 5 à 6 heures jusqu'à ce que le canard et le porc soient tendres.

Laisser refroidir 30 minutes. À l'aide d'une cuillère à égoutter, transférer la viande du récipient dans une grande assiette. Retirer la peau du canard et désosser. À l'aide d'un couteau et d'une fourchette, effilocher la viande. Jeter les brindilles de thym. À l'aide d'une cuillère à égoutter, retirer du récipient la pomme et l'oignon et les hacher finement. Mélanger la pomme et l'oignon avec la viande, puis goûter et rectifier l'assaisonnement si désiré.

Remplir 4 plats individuels ou des petits pots du mélange de viande et bien presser. À l'aide d'une cuillère, transférer le jus restant dans le récipient de la mijoteuse pour couvrir la viande, sceller, puis laisser refroidir. Réfrigérer pour bien refroidir. Lorsque le gras s'est solidifié sur le dessus, couvrir chaque plat avec un couvercle ou avec une pellicule de plastique. Ils peuvent se conserver au réfrigérateur jusqu'à 1 semaine.

Servir les rillettes avec du pain croûté chaud, quelques radis, et des échalotes marinées, si désiré.

PRÉPARATION **30 minutes**

TEMPÉRATURE **maximale**

TEMPS **5 — 6 heures**

PORTIONS **4 — 6**

Pain de dinde aux canneberges et à l'orange

1 paquet de 115 g (3¾ oz) de mélange de farce à l'orange et aux canneberges séchées

25 g (1 oz) de canneberges séchées

15 ml (1 c. à soupe) d'huile de tournesol

1 oignon, haché finement

500 g (1 lb) d'escalopes de poitrine de dinde, sans la peau

200 g (7 oz) de bacon entrelardé, fumé

1 œuf, battu

POUR SERVIR

salade

marmelade de canneberges (facultatif)

chutney de betteraves (facultatif)

Déposer le mélange de farce dans un bol, ajouter les canneberges, et mélanger avec de l'eau bouillante, tel qu'indiqué sur l'emballage.

Chauffer l'huile dans une poêle à frire, ajouter l'oignon et cuire 5 minutes, en brassant, jusqu'à ce qu'il soit tendre. Réserver. À l'aide d'un robot culinaire, hacher finement les tranches de dinde ou les hacher grossièrement au hachoir à viande.

Pendant ce temps, préchauffer la mijoteuse si nécessaire ; voir les instructions du manufacturier. Prendre un moule à soufflé de 14 cm (5½ po) de diamètre et 9 cm (3½ po) de hauteur, et tapisser le fond de papier parchemin. À l'aide du côté plat d'un grand couteau de chef, étirer chaque lanière de bacon pour qu'elle ait une fois et demie sa longueur, puis utiliser environ le trois quart des lanières pour tapisser le fond et les côtés du plat, en les coupant au besoin.

Mélanger la farce avec l'oignon cuit, la dinde hachée et l'œuf. Bien assaisonner et à l'aide d'une cuillère, transférer dans le moule tapissé de bacon. Presser le mélange et couvrir des tranches de bacon restantes.

Couvrir le plat de papier d'aluminium et le déposer dans le récipient de la mijoteuse. Verser de l'eau bouillante dans le récipient, pour atteindre la moitié du plat, puis mettre le couvercle et cuire à température maximale 5 à 6 heures ou jusqu'à ce que les jus soient clairs lorsque le pain de viande est percé avec un petit couteau.

Retirer le plat du récipient à l'aide de gants de cuisinier. Laisser refroidir le pain de viande dans le plat, puis mettre au réfrigérateur toute la nuit pour qu'il raffermisse. Passer un couteau à l'intérieur du plat pour décoller le pain de viande, renverser et enlever le papier. Couper en tranches épaisses et servir avec une salade et des cuillérées de marmelade de canneberges ou avec du Chutney de betteraves (voir pages 218-219), si désiré.

PRÉPARATION **20 minutes**

TEMPÉRATURE **minimale**

TEMPS **9 — 10 heures, ou toute la nuit**

PORTIONS **4**

Ragoût de pommes de terre avec pommes et bacon

700 g (1½ lb) de pommes de terre, tranchées finement

25 g (1 oz) de beurre

15 ml (1 c. à soupe) d'huile de tournesol

2 oignons, hachés grossièrement

250 g (8 oz) de bacon de dos fumé, coupé en dés

1 pomme à couteau, étrognée et tranchée

30 ml (2 c. à soupe) de farine

450 ml (¾ chopine) de bouillon de poulet

10 ml (2 c. à thé) de moutarde anglaise

2 feuilles de laurier

50 g (2 oz) de cheddar, râpé

sel et poivre

moitiés de tomates grillées, pour servir (facultatif)

Préchauffer la mijoteuse si nécessaire ; voir les instructions du manufacturier. Porter une grande casserole d'eau à ébullition, ajouter les pommes de terre, cuire 3 minutes, puis égoutter.

Chauffer le beurre et l'huile dans une poêle à frire, ajouter les oignons et le bacon et cuire, en brassant, 5 minutes ou jusqu'à ce que le tout commence à dorer. Incorporer les pommes et la farine, bien assaisonner le mélange de sel et de poivre.

Dans le récipient de la mijoteuse, déposer, en couches, les pommes de terre et le mélange d'oignons, et terminer par une couche de pommes de terre. Ajouter le bouillon et la moutarde dans la poêle à frire, porter à ébullition, et verser dans le récipient. Ajouter les feuilles de laurier. Mettre le couvercle et cuire à température minimale 9 à 10 heures.

Saupoudrer le dessus des pommes de terre de fromage, retirer le récipient de la mijoteuse, à l'aide de gants de cuisinier et faire dorer sous un gril préchauffé. Verser dans des bols peu profonds et servir avec des moitiés de tomates grillées, si désiré.

PRÉPARATION **15 minutes**

TEMPÉRATURE **maximale**

TEMPS **40 – 60 minutes**

PORTIONS **4**

Fondue au fromage à la bière

- **15 g (½ oz) de beurre**
- **2 échalotes, ou ½ petit oignon, haché finement**
- **1 gousse d'ail, hachée finement**
- **15 ml (3 c. à thé) de farine de maïs**
- **200 ml (7 oz) de bière blonde ou lager**
- **200 g (7 oz) de Gruyère (la croûte enlevée), râpé**
- **175 g (6 oz) d' Emmental (la croûte enlevée), râpé**
- **muscade moulue**
- **sel et poivre**

POUR SERVIR

- **½ baguette de pain français au blé entier, coupée en cubes**
- **2 branches de céleri, coupées en petits bouts**
- **8 petits oignons marinés, égouttés et coupés en deux**
- **1 botte de radis, le dessus enlevé**
- **1 poivron rouge, étrogné, les graines enlevées et coupé en cubes**
- **2 endives, les feuilles séparées**

Préchauffer la mijoteuse si nécessaire ; voir les instructions du manufacturier. Beurrer l'intérieur du récipient de la mijoteuse, puis ajouter l'échalote ou l'oignon, et l'ail.

Mettre la farine de maïs dans un petit bol, ajouter un peu de bière et mélanger pour former une pâte lisse. Incorporer la bière restante. Ajouter à la mijoteuse avec les deux fromages, un peu de muscade, du sel et du poivre.

Mélanger, mettre le couvercle et cuire à température maximale 40 à 60 minutes, en fouettant une fois durant la cuisson. Fouetter à nouveau et servir avec des crudités disposées sur une assiette de service et avec des fourchettes ordinaires ou longues à fondue pour tremper les aliments dans la fondue.

Dîners de tous les jours

N'avez-vous pas l'impression d'ajouter toujours les mêmes ingrédients dans votre panier d'épicerie toutes les semaines, comme si vous étiez un automate ? Apportez des changements à d'anciennes recettes en y ajoutant des twists délicieux et encouragez les enfants à déguster eux aussi de nouveaux mets.

PRÉPARATION **25 minutes**

TEMPÉRATURE **minimale**

TEMPS **9 — 11 heures**

PORTIONS **4**

Porc au cidre avec boulettes de pâte à la sauge

15 ml (1 c. à soupe) d'huile de tournesol

750 g (1½ lb) de tranches d'épaule de porc, coupées en cubes, le gras enlevé

1 poireau, tranché finement; les parties blanches et vertes séparées

30 ml (2 c. à soupe) de farine

300 ml (½ chopine) de cidre sec

300 ml (½ chopine) de bouillon de poulet

200 g (7 oz) de carotte, coupée en dés

1 pomme à couteau, étrognée et coupée en dés

2 à 3 brindilles de sauge

sel et poivre

BOULETTES DE PÂTE

150 g (5 oz) de farine à levure

75 g (3 oz) de graisse végétale

15 ml (1 c. à soupe) de sauge hachée

30 ml (2 c. à soupe) de persil haché

75 à 105 ml (5 à 7 c. à soupe) d'eau

Préchauffer la mijoteuse si nécessaire; voir les instructions du manufacturier. Dans une poêle à frire, chauffer l'huile, ajouter le porc, quelques morceaux à la fois, jusqu'à ce que tout le porc soit dans la poêle, puis cuire à feu élevé jusqu'à ce qu'il soit légèrement doré. Retirer le porc de la poêle à l'aide d'une cuillère à égoutter et le transférer dans le récipient de la mijoteuse.

Dans la poêle à frire, ajouter les tranches blanches du poireau et cuire 2 à 3 minutes ou jusqu'à ce qu'elles aient ramolli. Incorporer la farine, puis ajouter graduellement le cidre et le bouillon. Remuer. Ajouter la carotte, la pomme, la sauge, avec un peu de sel et de poivre. Porter à ébullition et brasser continuellement.

Verser le mélange dans le récipient de la mijoteuse, mettre le couvercle et cuire 8 à 10 heures ou jusqu'à ce que le porc soit tendre.

Préparer les boulettes. Dans un bol, mettre la farine, le graisse végétale, les fines herbes, et un peu de sel et de poivre, mélanger ensemble, puis ajouter graduellement assez d'eau pour obtenir une pâte molle, mais non collante. Couper pour obtenir 12 morceaux et, avec les mains farinées, former des boulettes.

Ajouter les tranches vertes du poireau dans la casserole, et déposer les boulettes sur le dessus. Mettre le couvercle et cuire, toujours à température minimale, 1 heure jusqu'à ce qu'elles aient bien levé. Verser le ragoût dans des bols peu profonds et servir.

PRÉPARATION **15 minutes**

TEMPÉRATURE **minimale**

TEMPS **8¼ — 10¼ heures**

PORTIONS **4**

Casserole de poulet
à la moutarde avec bacon

15 g (½ oz) de beurre

15 ml (1 c. à soupe) d'huile de tournesol

4 cuisses de poulet et 4 pilons de poulet

4 tranches de bacon de dos fumé, coupé en dés

400 g (13 oz) de poireaux tranchés finement; les parties vertes et blanches séparées

30 ml (2 c. à soupe) de farine

600 ml (1 chopine) de bouillon de poulet

15 ml (3 c. à thé) de moutarde à l'ancienne

sel et poivre

pommes de terre en purée, pour servir (facultatif)

Préchauffer la mijoteuse si nécessaire; voir les instructions du manufacturier. Dans une poêle à frire, chauffer le beurre et l'huile, ajouter les pilons de poulet et cuire, à feu élevé, jusqu'à ce qu'ils soient dorés de tous les côtés. Retirer de la poêle, à l'aide d'une cuillère à égoutter, et transférer dans le récipient de la mijoteuse.

Dans la poêle à frire, ajouter le bacon et la partie blanche des poireaux tranchés et cuire 5 minutes ou jusqu'à ce que le mélange commence à dorer. Incorporer la farine, puis ajouter graduellement le bouillon, mélanger, et ajouter la moutarde avec un peu de sel et de poivre. Porter à ébullition. Verser dans le récipient de la mijoteuse, mettre le couvercle et cuire, à température minimale, 8 à 10 heures.

Ajouter la partie verte des poireaux tranchés et mélanger dans la sauce. Remettre le couvercle et cuire, toujours à température minimale 15 minutes ou jusqu'à ce que la partie verte des poireaux ait ramolli. À l'aide d'une cuillère, déposer dans des bols peu profonds et servir avec des pommes de terre en purée, si désiré.

Pour un plat différent, remplacez le quart du bouillon de poulet avec 150 ml (¼ chopine) de vin rouge ou de cidre, ne mettez pas les poireaux ni la moutarde, et ajoutez des échalotes et un bouquet garni. Vous pourriez aussi essayer des pruneaux dénoyautés ou des marrons frits, à la casserole.

PRÉPARATION **30 minutes**

TEMPÉRATURE **minimale**

TEMPS **8¾ — 11¼ heures**

PORTIONS **4**

Moussaka

60 ml (4 c. à soupe) d'huile d'olive
1 grosse aubergine, tranchée finement
550 g (1 lb) d'agneau haché
1 oignon, haché
2 gousses d'ail, hachées finement
15 ml (1 c. à soupe) de farine
1 boîte 400 g (13 oz) de tomates broyées
200 ml (7 oz) de bouillon d'agneau
5 ml (1 c. à thé) de cannelle moulue
1,25 ml (¼ c. à thé) de muscade râpée
15 ml (1 c. à soupe) de purée de tomates
sel et poivre
salade, pour servir (facultatif)

GARNITURE
3 œufs
250 g (8 oz) de yogourt nature
75 g (3 oz) de fromage feta, râpé
1 pincée de muscade râpée

Préchauffer la mijoteuse si nécessaire; voir les instructions du manufacturier. Chauffer la moitié de l'huile dans une poêle à frire, et cuire les tranches d'aubergines en lots, ajouter plus d'huile si nécessaire jusqu'à ce qu'elles soient frites, tendres et légèrement dorées des deux côtés. Égoutter et transférer dans une assiette.

Ajouter l'agneau haché et l'oignon dans la poêle à frire, revenir à sec, brasser et défaire l'agneau jusqu'à ce qu'il soit doré uniformément. Ajouter l'ail et la farine, remuer et incorporer les tomates, le bouillon, les épices, la purée de tomates, un peu de sel et de poivre, et mélanger. Porter à ébullition, et remuer.

À l'aide d'une cuillère, déposer le mélange d'agneau dans le récipient de la mijoteuse, et placer les tranches d'aubergines sur le dessus, les faisant chevaucher pour couvrir le dessus uniformément. Mettre le couvercle et cuire à température minimale 8 à 10 heures.

Préparer la garniture de crème. Mélanger ensemble les œufs, le yogourt, le feta et la muscade. À l'aide d'une cuillère, déposer le mélange sur les aubergines, remette le couvercle et cuire, toujours à température minimale ¾ à 1¼ heure ou jusqu'à ce qu'elles soient fermes. À l'aide de gants de cuisinier, retirer le récipient de la mijoteuse et dorer sous le gril chaud. Servir avec une salade.

Même si ce plat n'est pas vraiment grec, il peut être servi sans la garniture de crème, qui peut être remplacée pas des pommes de terre en purée assaisonnées de yogourt ou de fromage cheddar. Vous pourriez aussi tout simplement verser le mélange de viande sur un plat de riz.

PRÉPARATION **20 minutes**

TEMPÉRATURE **minimale**

TEMPS **5 — 7 heures**

PORTIONS **4**

Maquereau avec pommes de terre à la harissa

500 g (1 lb) de pommes de terre nouvelles, brossées et tranchées finement

15 ml (1 c. à soupe) d'huile d'olive

1 oignon, haché

½ poivron rouge, étrogné, les graines enlevées et coupé en dés

½ poivron jaune, étrogné, les graines enlevées et coupé en dés

1 gousse d'ail, hachée finement

10 ml (2 c. à thé) de harissa (pâte de piments marocaine)

200 g (7 oz) de tomates, hachées grossièrement

15 ml (1 c. à soupe) de purée de tomates

300 ml (½ chopine) de fumet de poisson

4 petits maquereaux, d'environ 300 g (10 oz) chacun, éviscérés et les têtes enlevées

sel et poivre

pitas, pour servir (facultatif)

Préchauffer la mijoteuse si nécessaire ; voir les instructions du manufacturier. Porter une casserole d'eau à ébullition, ajouter les pommes de terre et cuire 4 à 5 minutes ou jusqu'à ce qu'elles soient presque tendres. Égoutter et réserver.

Dans une poêle à frire, chauffer l'huile, ajouter l'oignon et cuire, en brassant, 5 minutes ou jusqu'à ce qu'il soit tendre et commence à dorer. Ajouter les poivrons et l'ail, mélanger, et frire 2 à 3 minutes. Ajouter la harissa, les tomates, la purée de tomates, le bouillon, un peu de sel et de poivre, mélanger et porter à ébullition.

Mettre les pommes de terre dans le récipient de la mijoteuse. Bien rincer le poisson, l'égoutter, et le disposer en une seule couche sur le dessus des pommes de terre, puis couvrir avec le mélange de tomates chaud. Mettre le couvercle et cuire à température minimale 5 à 7 heures ou jusqu'à ce que les pommes de terre soient tendres et que le poisson se défasse lorsque pressé au centre avec un petit couteau.

À l'aide d'une fourchette, mettre dans des bols peu profonds, et servir avec des pitas chauds, si désiré.

Le maquereau est incroyablement bon marché et il est riche en acides gras oméga 3, dont on dit qu'il stimule le pouvoir mental et protège contre les problèmes cardiaques et les troubles de circulation.

PRÉPARATION **20 minutes**

TEMPÉRATURE **minimale**

TEMPS **6 — 8 heures**

PORTIONS **4**

Saucisse en sauce d'oignons caramélisés

15 ml (1 c. à soupe) d'huile de tournesol

8 saucisses aromatisées comme la Sicilienne ou la Toulouse

2 oignons rouges, coupés en deux et tranchés finement

10 ml (2 c. à thé) de sucre muscovado pâle

30 ml (2 c. à soupe) farine

450 ml (¾ chopine) de bouillon de bœuf

15 ml (1 c. à soupe) purée de tomates séchées au soleil ou ordinaire

1 feuille de laurier

sel et poivre

POUR SERVIR

carottes

brocoli

Préchauffer la mijoteuse si nécessaire ; voir les instructions du manufacturier. Dans une poêle à frire, chauffer l'huile, ajouter les saucisses et cuire à feu élevé 5 minutes, en les tournant jusqu'à ce qu'elles soient dorées de tous les côtés, mais non cuites complètement. Égoutter et transférer dans le récipient de la mijoteuse.

Dans la poêle à frire, ajouter les oignons et cuire, à chaleur moyenne, 5 minutes ou jusqu'à ce qu'ils soient tendres. Ajouter le sucre, et cuire, en brassant, 5 minutes supplémentaires, ou jusqu'à ce que les tranches d'oignons soient caramélisées sur le pourtour.

Incorporer la farine, puis ajouter graduellement le bouillon en remuant. Ajouter la purée de tomates, la feuille de laurier avec un peu de sel et de poivre et porter à ébullition tout en remuant. Verser sur les saucisses. Mettre le couvercle et cuire à température minimale 6 à 8 heures ou jusqu'à ce que les saucisses soient bien cuites.

Servir les saucisses et la sauce dans de grands poudings du Yorkshire[1] achetés, accompagnées de carottes et de brocoli vapeur.

1 Le **Yorkshire pudding** est un plat originaire du Yorkshire (Angleterre). Le Yorkshire pudding n'est pas un dessert, même s'il peut occasionnellement être servi avec de la confiture ou une boule de glace.Confectionné à partir d'une pâte à base de lait, d'œufs, de farine et de sel, il accompagne traditionnellement le plat principal. Il se marie particulièrement bien avec un rôti de bœuf, du poulet, et plus généralement avec tous les plats en sauce. Source Wikipedia.

Si vous prévoyez prendre de la bière avec le repas, vous pourriez réduire la quantité de bouillon à 400 ml (14 oz) et ajouter un peu de bière à la toute fin de la cuisson.

PRÉPARATION **25 minutes**

TEMPÉRATURE **maximale**

TEMPS **5 — 7 heures**

PORTIONS **4**

Côtes glacées à l'érable

1,25 kg (2½ lb) de côtes de porc, rincées à l'eau froide et égouttées

1 oignon, coupé en quartiers

1 carotte, en tranches épaisses

2 feuilles de laurier

30 ml (2 c. à soupe) de vinaigre de malt

5 ml (1 c. à thé) poivre noir en grains

2,5 ml (½ c. à thé) de sel

1 l (1¾ chopine) d'eau bouillante

GLAÇURE

10 ml (2 c. à thé) de moutarde anglaise

5 ml (1 c. à thé) de piment de la Jamaïque moulu

30 ml (2 c. à soupe) de purée de tomates

30 ml (2 c. à soupe) de cassonade

125 ml (4 oz) de sirop d'érable

SALADE DE CHOU

1 carotte, râpée

¼ chou rouge, déchiqueté

3 ciboules, tranchées

100 g (3½ oz) de maïs sucré (décongelé si congelé)

30 ml (2 c. à soupe) de mayonnaise

30 ml (2 c. à soupe) de yogourt nature

Préchauffer la mijoteuse si nécessaire ; voir les instructions du manufacturier. Mettre dans le récipient de la mijoteuse le porc, l'oignon, la carotte, les feuilles de laurier, le vinaigre, les grains de poivre, le sel et l'eau bouillante, mettre le couvercle et cuire à température maximale 5 à 7 heures ou jusqu'à ce que les côtes soient tendres.

À l'aide d'une cuillère à égoutter, retirer les côtes de la mijoteuse et les transférer dans une poêle à fond cannelé tapissée de papier d'aluminium. Mélanger ensemble les ingrédients de la glaçure avec 150 ml (¼ chopine) du bouillon chaud du récipient de la mijoteuse. À l'aide d'une cuillère, déposer la glaçure sur les côtes puis griller 10 à 15 minutes, en les tournant une ou deux fois, jusqu'à ce qu'elles soient dorées et collantes.

Pendant ce temps, mélanger ensemble les ingrédients de la salade de chou et, à l'aide d'une cuillère, déposer dans 4 petits bols. Les placer dans des assiettes puis empiler les côtelettes à côté pour servir.

En été, vous pouvez faire cuire les côtes glacées (moins le bouillon) sur des briquettes de charbon de bois déjà chaudes en vaporisant de l'eau sur les flammes provoquées par les jus. Vous aurez alors des côtes sucrées et collantes avec un délicieux goût de fumée.

PRÉPARATION **20 minutes**

TEMPÉRATURE **minimale**

TEMPS **8 — 10 heures**

PORTIONS **4**

Sauce bolognaise gourmet

15 ml (1 c. à soupe) d'huile d'olive

500 g (1 lb) de bœuf haché maigre

1 oignon, haché

225 g (7½ oz) de foie de poulet (décongelé si congelé)

2 gousses d'ail, hachées finement

50 g (2 oz) de pancetta ou de bacon de dos fumé, coupé en dés

150 g (5 oz) de boutons de champignons, tranchés

15 ml (1 c. à soupe) de farine

150 ml (¼ chopine) de vin rouge

150 ml (¼ chopine) de bouillon de bœuf

1 boîte de 400 g (13 oz) de tomates broyées

30 ml (2 c. à soupe) de purée de tomates

1 bouquet garni

sel et poivre

300 g (10 oz) de tagliatelles

POUR SERVIR

copeaux de fromage parmesan

feuilles de basilic

Préchauffer la mijoteuse si nécessaire ; voir les instructions du manufacturier. Dans une à frire chauffer l'huile, ajouter l'oignon et le bœuf haché. Cuire en brassant et, à l'aide d'une cuillère, défaire le bœuf haché jusqu'à ce qu'il soit doré uniformément.

Pendant ce temps, dans un tamis, rincer les foies de poulet, égoutter, hacher grossièrement, et jeter les parties blanches. Ajouter à la poêle avec l'ail, la pancetta ou le bacon et les champignons et cuire 2 à 3 minutes ou jusqu'à ce que les foies soient dorés.

Incorporer la farine, puis ajouter le vin, le bouillon, les tomates, la purée de tomates, le bouquet garni, le sel et le poivre, et mélanger. Porter à ébullition en remuant. À l'aide d'une cuillère, déposer dans le récipient de la mijoteuse, mettre le couvercle et cuire à température minimale 8 à 10 heures.

Juste avant de servir, mettre les tagliatelles dans une casserole d'eau bouillante salée et cuire 8 minutes ou jusqu'à ce qu'elles soient tendres. Égoutter et mélanger à la sauce bolognaise. À l'aide d'une cuillère, déposer dans des bols peu profonds et parsemer de copeaux de parmesan et de quelques feuilles de basilic.

La sauce bolognaise ne doit pas nécessairement être préparée avec du bœuf haché contrairement à ce que disent les traditionalistes ; essayez de l'agneau ou du porc haché pour changer. Vous pourriez même former des boulettes de viande avec le bœuf et les foies, si vous préférez.

PRÉPARATION **15 minutes**

TEMPÉRATURE **minimale**

TEMPS **2¼ — 3¼ heures**

PORTIONS **4**

Macaroni au fromage avec aiglefin fumé

200 g (7 oz) de macaroni

15 ml (1 c. à soupe) d'huile d'olive

1 oignon, haché

50 g (2 oz) de beurre

50 g (2 oz) de farine

450 g (¾ chopine) de lait entier traité à ultra haute température

450 g (¾ chopine) de fumet de poisson

175 g (6 oz) de fromage cheddar, râpé

1,25 ml (¼ c. à thé) de muscade râpée

500 g (1 lb) d'aiglefin fumé, la peau enlevée et coupé en cubes de 2,5 cm (1 po)

1 boîte de 200 g (7 oz) de maïs sucré, égoutté

125 g (4 oz) d'épinards, rincés, égouttés et déchiquetés grossièrement

sel et poivre

tomates cerise pour servir

Préchauffer la mijoteuse si nécessaire ; voir les instructions du manufacturier. Dans un bol, mettre le macaroni, le couvrir d'eau bouillante et laisser reposer 10 minutes pendant que vous préparez le reste du plat.

Dans une casserole, chauffer l'huile, ajouter l'oignon et cuire légèrement, en brassant, 5 minutes ou jusqu'à ce qu'il soit tendre. Ajouter le beurre, et lorsqu'il est fondu, ajouter la farine en remuant. Ajouter graduellement le lait, et porter à ébullition, en brassant jusqu'à ce que le tout soit homogène. Ajouter le bouillon, 125 g (4 oz) de cheddar, la muscade, le sel et le poivre et porter à ébullition en brassant.

Égoutter le macaroni, et déposer dans le récipient de la mijoteuse avec l'aiglefin et le maïs sucré. Verser la sauce et remuer délicatement pour mélanger. Mettre le couvercle et cuire à température minimale 2 à 3 heures.

Ajouter les épinards dans le macaroni et mélanger, replacer le couvercle et cuire, toujours à température minimale, 15 minutes. À l'aide de gants de cuisinier, retirer le récipient de la mijoteuse et mélanger encore. Saupoudrer le macaroni du cheddar restant, puis mettre sous le grill préchauffé d'une cuisinière jusqu'à ce que le dessus soit doré. Servir avec des tomates cerise en grappe grillées.

PRÉPARATION **25 minutes**

TEMPÉRATURE **maximale**

TEMPS **7 — 8 heures**

PORTIONS **4**

Ragoût de bœuf

15 ml (1 c. à soupe) d'huile de tournesol

700 g (1½ lb) de bœuf à braiser, coupé en cubes

1 oignon, haché

30 ml (2 c. à soupe) de farine

600 ml (1 chopine) de bouillon de bœuf

30 ml (2 c. à soupe) de sauce Worcestershire

15 ml (1 c. à soupe) de purée de tomates

10 ml (2 c. à thé) moutarde anglaise

3 brindilles de romarin

125 g (4 oz) de carottes, coupées en dés

125 g (4 oz) de rutabaga, coupé en dés

125 g (4 oz) de panais, coupés en dés

700 g (1 lb 6 oz) de pommes de terre, tranchées finement

sel et poivre

Préchauffer la mijoteuse si nécessaire ; voir les instructions du manufacturier. Dans une poêle à frire, chauffer l'huile, ajouter le bœuf, quelques morceaux à la fois, jusqu'à ce que toute la viande soit dans la poêle, puis cuire, à chaleur élevée en brassant, jusqu'à ce qu'elle soit dorée.

À l'aide d'une cuillère à égoutter, retirer le bœuf de la poêle et le transférer dans le récipient de la mijoteuse.

Dans la poêle, ajouter l'oignon et cuire, en brassant, 5 minutes ou jusqu'à ce qu'il soit tendre et commence à dorer. Ajouter la farine, puis en remuant mélanger graduellement le bouillon. Ajouter la sauce Worcestershire, la purée de tomates, la moutarde et les feuilles des deux brindilles de romarin. Assaisonner de sel et de poivre et porter à ébullition, en brassant.

Ajouter les légumes coupés en dés au récipient de la mijoteuse. Verser les oignons et la sauce sur les légumes, et couvrir des tranches de pommes de terre, les disposer pour qu'elles se chevauchent et presser pour qu'elles soient dans le bouillon. Saupoudrer des feuilles de romarin restantes et d'un peu de sel et de poivre.

Mettre le couvercle et cuire à température maximale 7 à 8 heures ou jusqu'à ce que les pommes de terre soient tendres. À l'aide de gants de cuisinier, retirer le récipient de la mijoteuse; parsemer les pommes de terre de noisettes de beurre et dorer dans le gril préchauffé d'une cuisinière, si désiré.

PRÉPARATION **20 minutes**

TEMPÉRATURE **minimale**

TEMPS **6 — 8 heures**

PORTIONS **4**

Poulet korma

- **30 ml (2 c. à soupe) d'huile de tournesol**
- **8 cuisses de poulet, environ 1 kg (2 lb) au total, désossées et la peau enlevée, et coupées en cubes**
- **2 oignons, hachés finement, un peu plus pour garnir**
- **1 à 2 piments verts (ou au goût), épépinés et hachés finement**
- **1 racine de gingembre frais, de 2,5 cm (1 po), pelée et hachée finement**
- **75 ml (5 c. à soupe) de pâte de cari korma**
- **250 ml (8 oz) de crème ou de lait de noix de coco**
- **300 ml (½ chopine) de bouillon de poulet**
- **30 ml (2 c. à soupe) d'amandes moulues**
- **un peu de coriandre**
- **200 g (7 oz) de yogourt nature**
- **2 tomates, coupées en dés**
- **sel et poivre**
- **chapatis, pour servir**

Préchauffer la mijoteuse si nécessaire ; voir les instructions du manufacturier. Dans une poêle à frire, chauffer l'huile, ajouter le poulet, quelques morceaux à la fois, jusqu'à ce que toute la viande soit dans la poêle, puis cuire en brassant, jusqu'à ce qu'elle soit dorée. À l'aide d'une cuillère à égoutter, enlever le poulet de la poêle et le transférer dans le récipient de la mijoteuse.

Dans la poêle, ajouter les oignons, les piments, le gingembre et la pâte de cari, et cuire en brassant, 2 à 3 minutes. Ajouter la crème ou le lait de noix de coco, le bouillon et les amandes moulues. Déchiqueter la moitié de la coriandre et ajouter un peu de sel et de poivre à la sauce. Porter à ébullition en brassant, puis à l'aide d'une cuillère, verser sur le poulet.

Mettre le couvercle et cuire à température minimale 6 à 8 heures.

Ajouter le korma, puis à l'aide d'une louche, verser dans des bols, recouvrir de cuillérées de yogourt, des tomates, d'un peu plus d'oignons crus et de la coriandre restante déchirée en petits morceaux. Servir avec les chapatis chauds.

Plutôt que d'acheter du cari, déjà préparé, faites-le vous-même, puis laissez-le refroidir et entreposez-le dans de petites boîtes en plastique individuelles. Congelez-le, puis transférez-le au réfrigérateur la veille ou tôt le matin pour le décongeler. Réchauffez-le au four à micro-ondes lorsque vous arriverez à la maison.

PRÉPARATION **25 minutes**

TEMPÉRATURE **minimale**

TEMPS **7 — 8 heures**

PORTIONS **4**

Pâté ranchero

15 ml (1 c. à soupe) d'huile de tournesol

500 g (1 lb) de bœuf haché

1 oignon, haché

2 gousses d'ail, hachées finement

5 ml (1 c. à thé) de graines de cumin, broyées grossièrement

1,25 à 2,50 ml (¼ à ½ c. à thé) de flocons de chile séchés et broyés

1,25 ml (¼ c. à thé) de piment de la Jamaïque moulu

2 brindilles d'origan, hachées grossièrement

45 ml (3 c. à soupe) de raisins de Smyrne

400 g (13 oz) de tomates hachées

250 ml (8 oz) de bouillon de bœuf

sel et poivre

GARNITURE

500 g (1 lb) de patates douces, tranchées finement

25 g (1 oz) de beurre

un peu de flocons de chile séchés et broyés

Préchauffer la mijoteuse si nécessaire ; voir les instructions du manufacturier.

Dans une poêle à frire, chauffer l'huile, ajouter le bœuf et l'oignon et cuire en brassant jusqu'à ce qu'il soit doré, et à l'aide d'une cuillère en bois défaire la viande hachée.

Ajouter l'ail, les épices, l'origan, les raisins de Smyrne, les tomates, le bouillon, et mélanger. Ajouter un peu de sel et de poivre et porter à ébullition, en brassant. À l'aide d'une cuillère, mettre dans le récipient de la mijoteuse, couvrir avec des tranches de patates douces qui se chevauchent, mettre quelques noisettes de beurre, saupoudrer de flocons de chile et d'un peu de sel et de poivre.

Mettre le couvercle et cuire à température minimale 7 à 8 heures jusqu'à ce que les patates douces soient tendres. À l'aide de gants de cuisinier, retirer le récipient de la mijoteuse et dorer dans le gril préchauffé d'une cuisinière, si désiré.

PRÉPARATION **20 minutes**

TEMPÉRATURE **minimale**

TEMPS **4 — 5 heures**

PORTIONS **4**

Thon arrabiata

15 ml (1 c. à soupe) d'huile d'olive
1 oignon, haché
2 gousses d'ail, hachées finement
1 poivron rouge, étrogné, épépiné, et coupé en dés
5 ml (1 c. à thé) de paprika fumé (pimenton)
1,25 à 2,5 ml (¼ à ½ c. à thé) de flocons de chile séchés et broyés
1 boîte de 400 g (13 oz) de tomates broyées
150 ml (¼ chopine) de bouillon de légumes ou de fumet de poisson
1 boîte de 200 g (7 oz) de thon dans l'eau, égoutté
375 g (12 oz) de spaghetti
sel et poivre

POUR SERVIR
fromage parmesan fraîchement râpé
feuilles de basilic

Préchauffer la mijoteuse si nécessaire ; voir les instructions du manufacturier. Dans une poêle à frire, chauffer l'huile, ajouter l'oignon et cuire en brassant, 5 minutes ou jusqu'à ce qu'il commence à dorer sur les bords.

Ajouter l'ail, le poivron rouge, le paprika et les flocons de chile, remuer et cuire 2 minutes. Incorporer les tomates, le bouillon, un peu de sel et de poivre, et mélanger. Porter à ébullition et verser dans le récipient de la mijoteuse. Défaire le thon en gros morceaux et l'ajouter au mélange de tomates. Mettre le couvercle et cuire à température minimale 4 à 5 heures.

Presque au moment de servir, porter à ébullition une grande casserole d'eau, ajouter le spaghetti et cuire environ 8 minutes ou jusqu'à ce qu'il soit tendre. Égoutter et mélanger à la sauce aux tomates. À l'aide d'une cuillère verser dans des bols peu profonds, saupoudrer de parmesan râpé et de feuilles de basilic.

PRÉPARATION **15 minutes**

TEMPÉRATURE **minimale**

TEMPS **8 — 10 heures**

PORTIONS **4**

Tajine d'agneau aux figues et aux amandes

15 ml (1 c. à soupe) d'huile d'olive

750 g (1½ lb) de filet d'agneau, coupé en cubes, ou déjà coupé

1 oignon, tranché

2 gousses d'ail, hachées finement

1 racine de gingembre frais de 2,5 cm (1 po), pelée et hachée finement

30 ml (2 c. à soupe) de farine

600 ml (1 chopine) de bouillon d'agneau

5 ml (1 c. à thé) de cannelle moulue

2 grosses pincées de safran

75 g (3 oz) de figues séchées, la queue enlevée et coupées en dés

40 g (1½ oz) d'amandes effilées rôties

sel et poivre

couscous au citron et aux pois chiches pour servir

Préchauffer la mijoteuse si nécessaire ; voir les instructions du manufacturier. Dans une poêle à frire, chauffer l'huile, ajouter l'agneau, quelques morceaux à la fois, jusqu'à ce que toute la viande soit dans la poêle, puis cuire à chaleur élevée, en brassant, jusqu'à ce qu'elle soit dorée. À l'aide d'une cuillère à égoutter, enlever l'agneau de la poêle et le transférer dans le récipient de la mijoteuse.

Dans la poêle à frire, ajouter l'oignon et cuire, en brassant, 5 minutes ou jusqu'à ce qu'il soit tendre et commence à dorer. Ajouter l'ail et le gingembre puis incorporer la farine et mélanger. Ajouter graduellement le bouillon. Ajouter les épices, les figues, un peu de sel et de poivre, et porter à ébullition, en brassant.

À l'aide d'une cuillère, verser dans le récipient de la mijoteuse, mettre le couvercle et cuire à température minimale 8 à 10 heures ou jusqu'à ce que l'agneau soit tendre. Mélanger, puis saupoudrer d'amandes effilées rôties. Servir avec du couscous au citron et aux pois chiches.

Pour préparer le couscous, mettre dans un bol 200 g (7 oz) de couscous avec le jus et le zeste de 1 citron, 30 ml (2 c. à soupe) d'huile d'olive, 1 boîte de 410 g (13½ oz) de pois chiches égouttés, 450 ml (¾ chopine) d'eau bouillante et assaisonner. Laisser reposer 5 minutes puis, à l'aide d'une fourchette, incorporer 60 ml (4 c. à soupe) de coriandre hachée.

PRÉPARATION **15 minutes**

TEMPÉRATURE **minimale**

TEMPS **9 — 10 heures**

PORTIONS **4**

Bœuf à l'orge à la bière

15 ml (1 c. à soupe) d'huile de tournesol

625 g (1¼ lb) de bœuf à ragoût maigre, coupé en cubes

1 oignon, haché

15 ml (1 c. à soupe) de farine

250 g (8 oz) de carottes, coupées en dés

250 g (8 oz) de panais ou de pommes de terre, coupés en dés

300 ml (½ chopine) de bière légère

750 ml (1¼ chopine) de bouillon de bœuf

un peu de fines herbes mélangées ou 1 bouquet garni séché

100 g (3½ oz) d'orge

sel et poivre

Préchauffer la mijoteuse si nécessaire ; voir les instructions du manufacturier. Dans une poêle à frire, chauffer l'huile, ajouter le bœuf, quelques morceaux à la fois, jusqu'à ce que toute la viande soit dans la poêle, puis cuire à chaleur élevée, en brassant, jusqu'à ce qu'elle soit dorée. À l'aide d'une cuillère à égoutter, enlever le bœuf de la poêle et le transférer dans le récipient de la mijoteuse.

Dans une poêle à frire, ajouter l'oignon et cuire en brassant 5 minutes jusqu'à ce qu'il soit légèrement doré. Incorporer la farine puis ajouter les légumes coupés en dés et la bière, puis porter à ébullition en brassant. Verser dans le récipient de la mijoteuse.

Dans la poêle à frire, ajouter le bouillon, les fines herbes, un peu de sel et de poivre, porter à ébullition puis verser dans le récipient de la mijoteuse. Ajouter l'orge en remuant, mettre le couvercle et cuire à température minimale 9 à 10 heures jusqu'à ce que le bœuf soit tendre.

L'orge perlé gonfle en cuisant, alors vous aurez peut-être besoin d'un peu plus de bouillon à la fin de la cuisson ou lorsque vous réchaufferez les restes pour empêcher le plat d'être sec.

PRÉPARATION **20 minutes**

TEMPÉRATURE **minimale**

TEMPS **6¼ — 8¼ heures**

PORTIONS **4**

Poulet aigre-doux

15 ml (1 c. à soupe) d'huile de tournesol

8 petites cuisses de poulet, environ 1 kg (2 lb) au total, désossées, la peau enlevée, et coupées en cubes

4 ciboules, en tranches épaisses; les parties blanches et vertes séparées

2 carottes, coupées sur la longueur et tranchées finement

1 racine de gingembre frais de 2,5 cm (1 po), pelée et hachée finement

1 boîte de 430 g (14¼ oz) de morceaux d'ananas dans leur jus

30 ml (½ chopine) de bouillon de poulet

15 ml (1 c. à soupe) de farine de maïs

15 ml (1 c. à soupe) de purée de tomates

30 ml (2 c. à soupe) de sucre

30 ml (2 c. à soupe) de sauce soja

30 ml (2 c. à soupe) de vinaigre de malt

1 boîte de 225 g (7½ oz) de pousses de bambou, égouttées

125 g (4 oz) de germes de soja

100 g (3½ oz) de pois mange-tout, tranchés finement

riz, pour servir

Préchauffer la mijoteuse si nécessaire; voir les instructions du manufacturier. Dans une poêle à frire, chauffer l'huile, ajouter les cuisses de poulet et cuire, en brassant, jusqu'à ce qu'elles soient dorées sur tous les côtés. Incorporer les parties blanches des ciboules, les carottes et le gingembre et cuire 2 minutes.

Ajouter les morceaux d'ananas avec leur jus, et le bouillon. Dans un petit bol, mettre la farine de maïs, la purée de tomates et le sucre, puis graduellement ajouter, en mélangeant la sauce soja et le vinaigre pour obtenir une pâte lisse. Incorporer dans la poêle à frire et porter à ébullition en brassant.

Mettre le poulet et la sauce dans le récipient de la mijoteuse, ajouter les pousses de bambou et presser afin que le poulet soit sous la surface de la sauce. Mettre le poulet et cuire à température minimale 6 à 8 heures.

Presque au moment de servir ajouter les tranches vertes de ciboule, les germes de soja et les pois mange-tout dans le récipient et bien mélanger. Remettre le couvercle et cuire, toujours à température minimale 15 minutes ou jusqu'à ce que les légumes commencent à être tendres. À l'aide d'une cuillère, servir dans des bols remplis de riz.

PRÉPARATION **20 minutes**

TEMPÉRATURE **minimale**

TEMPS **8 — 10 heures**

PORTIONS **4**

Bœuf épicé avec tortillas au fromage

15 ml (1 c. à soupe) d'huile de tournesol

500 g (1 lb) de bœuf haché très maigre

1 oignon, haché

2 gousses d'ail, hachées finement

5 ml (1 c. à thé) de paprika fumé pimenton

2,5 ml (½ c. à thé) de flocons de chile séchés et broyés

5 ml (1 c. à thé) de cumin moulu

15 ml (1 c. à soupe) de farine

1 boîte de 400 g (13 oz) de tomates broyées

1 boîte de 410 g (13½ oz) de haricots rognons rouges, égouttés

150 ml (¼ chopine) de bouillon de bœuf

15 ml (1 c. à soupe) de sucre muscovado foncé

sel et poivre

GARNITURE

100 g (3½ oz) de tortillas

½ poivron rouge, étrogné, épépiné et coupé en dés

feuilles de coriandre hachées

100 g (3½ oz) de fromage cheddar vieilli, râpé

Préchauffer la mijoteuse si nécessaire; voir les instructions du manufacturier. Dans une poêle à frire, chauffer l'huile, ajouter le bœuf et l'oignon et cuire en brassant, 5 minutes, jusqu'à ce que ce soit doré, puis à l'aide d'une cuillère en bois, défaire la viande hachée.

Ajouter l'ail, le paprika, les flocons de chile, le cumin, et cuire 2 minutes. Incorporer la farine. Ajouter les tomates, les haricots rognons rouges, le bouillon, le sucre, un peu de sel et de poivre, puis verser le mélange dans le récipient de la mijoteuse. Mettre le couvercle et cuire à température minimale 8 à 10 heures.

Remuer le mélange, puis le déposer sur les tortillas. Parsemer de poivron rouge, de coriandre et de cheddar, puis à l'aide de gants de cuisinier, retirer le récipient de la mijoteuse et dorer sous le gril préchauffé de la cuisinière jusqu'à ce que le fromage ait fondu. À l'aide d'une cuillère, servir dans des bols.

S'il vous reste du bœuf de cette recette, vous pouvez le servir sur des pommes de terre en robe des champs ou sur des patates douces en robe des champs, puis recouvrez-le de crème sure et de fromage cheddar râpé et saupoudrez de feuilles de coriandre déchiquetées.

PRÉPARATION **15 minutes**

TEMPÉRATURE **minimale**

TEMPS **3¼ — 4¼ heures**

PORTIONS **4**

Pilaf de maquereau

15 ml (1 c. à soupe) d'huile de tournesol

1 oignon, haché

5 ml (1 c. à thé) de curcuma

30 ml (2 c. à soupe) de chutney de mangues

790 à 900 ml (1¼ à 1½ chopine) de bouillon de légumes

1 feuille de laurier

175 g (6 oz) de riz brun à cuisson rapide

250 g (8 oz) ou 3 filets de maquereau fumé, la peau enlevée

100 g (3½ oz) de pois congelés

25 g (1 oz) de cresson ou de feuilles de roquette

sel et poivre

4 œufs cuits dur, coupés en quartiers, pour garnir

Préchauffer la mijoteuse si nécessaire ; voir les instructions du manufacturier. Dans une poêle à frire, chauffer l'huile, ajouter l'oignon et cuire en brassant, 5 minutes, ou jusqu'à ce qu'il soit tendre et commence à dorer.

Incorporer le curcuma, le chutney, le bouillon, la feuille de laurier, un peu de sel et de poivre, et porter à ébullition. Verser dans le récipient de la mijoteuse et ajouter le riz. Dans le récipient, ajouter le maquereau fumé en une seule couche. Mettre le couvercle et cuire à température minimale 3 à 4 heures ou jusqu'à ce que le riz soit tendre et ait absorbé presque tout le bouillon.

Incorporer les pois, et briser le poisson en morceaux. Au besoin, ajouter du bouillon chaud. Cuire 15 minutes supplémentaires. Ajouter le cresson ou la roquette, puis à l'aide d'une cuillère, déposer dans les assiettes et servir garni de quartiers d'œufs.

PRÉPARATION **25 minutes**

TEMPÉRATURE **minimale**

TEMPS **6 — 8 heures**

PORTIONS **4**

Boulettes de viande épicées en sauce à l'aneth

1 oignon, coupé en quartiers

50 g (2 oz) de pain

250 g (8 oz) de porc haché

250 g (8 oz) de bœuf haché

5 ml (1 c. à thé) d'épices mélangées, moulues

1 jaune d'œuf

15 ml (1 c. à soupe) d'huile de tournesol

sel et poivre

SAUCE

15 g (½ oz) de beurre

1 oignon, tranché

30 ml (2 c. à soupe) de farine

600 ml (1 chopine) de bouillon de poulet

20 ml (4 c. à thé) d'aneth haché, un peu plus pour garnir

Préchauffer la mijoteuse si nécessaire; voir les instructions du manufacturier. À l'aide d'un robot culinaire ou d'un mélangeur, hacher finement l'oignon et le pain. Ajouter les viandes hachées, les épices mélangées, le jaune d'œuf, un peu de sel et de poivre, et mélanger ensemble.

Diviser le mélange de viande en 24 portions et former des boulettes avec les mains mouillées. Dans une poêle à frire, chauffer l'huile, ajouter les boulettes de viande et cuire à chaleur moyenne en les retournant pour qu'elles soient dorées uniformément, mais non cuites complètement. Égoutter et transférer dans le récipient de la mijoteuse.

Préparation de la sauce. Dans une poêle à frire propre, ajouter le beurre et l'oignon. Cuire, en brassant, 5 minutes ou jusqu'à ce que l'oignon soit tendre et commence à dorer. Incorporer la farine, puis graduellement mélanger le bouillon et porter à ébullition, en brassant. Assaisonner de sel et de poivre et verser la sauce sur les boulettes de viande. Mettre le couvercle et cuire à température minimale 6 à 8 heures.

Incorporer l'aneth haché dans la sauce et servir les boulettes de viande avec une purée de pommes de terre saupoudrée d'aneth haché pour garnir.

Préparation rapide de dîners

Le bon côté de la cuisson à la mijoteuse est que vous pouvez préparer et faire cuire votre dîner avant d'aller au travail ou de sortir. Si vous devez quitter tôt le matin, vous pouvez préparer, en partie, les recettes de ce chapitre la veille, puis mettre les ingrédients dans la mijoteuse avec du liquide chaud.

PRÉPARATION **20 minutes**

TEMPÉRATURE **minimale**

TEMPS **6¼ — 8¼ heures**

PORTIONS **4**

Risotto d'orge au beurre de fromage bleu

175 g (6 oz) d'orge perlé

1 oignon, haché finement

2 gousses d'ail, hachées finement

500 g (1 lb) de courge musquée, pelée, épépinée, et coupée en cubes de 1,5 cm (¾ po)

1 l (1¾ chopine) de bouillon de légumes bouillant

125 g (4 oz) de jeunes épinards, lavés et bien égouttés

BEURRE DE FROMAGE BLEU

100g (3½ oz) de beurre à la température ambiante

100g (3½ oz) de fromage, bleu, la croûte enlevée

1 gousse d'ail, hachée finement

1,25 ml (¼ c. à thé) de flocons de chile séchés et broyés

sel et poivre

Préchauffer la mijoteuse si nécessaire; voir les instructions du manufacturier. Mettre l'orge perlé, l'oignon, l'ail et la courge musquée dans le récipient de la mijoteuse. Verser le bouillon avec un peu de sel et de poivre. Mettre le couvercle et cuire à température minimale 6 à 8 heures ou jusqu'à ce que l'orge et la courge soient tendres.

Pendant ce temps, préparer le beurre de fromage bleu. Mettre le beurre dans une assiette, émietter le fromage sur le dessus, ajouter l'ail et le flocon de chile et travailler le mélange avec une fourchette. À l'aide d'une cuillère, déposer le beurre, en formant une ligne, sur du papier parchemin, envelopper et rouler dans un mouvement de va-et-vient pour obtenir une forme parfaite de saucisse. Réfrigérer jusqu'au moment de l'utiliser.

Presque au moment de servir, brasser le risotto, trancher la moitié du beurre et ajouter au récipient de la mijoteuse. Mélanger ensemble jusqu'à ce que le beurre commence à fondre, puis ajouter les épinards. Remettre le couvercle et cuire, toujours à température minimale, 15 minutes, jusqu'à ce que les épinards s'affaissent. À l'aide d'une louche, verser dans des bols peu profonds et servir recouvert des tranches restantes de beurre.

Pour sauver du temps le matin, mettre l'orge, les légumes, et l'ail dans un bol recouvert d'une pellicule de plastique et réfrigérer, puis préparer le beurre la veille. Le lendemain, émietter un cube de bouillon dans un grand pot d'eau bouillante, et ajouter le tout dans la mijoteuse.

PRÉPARATION **20 minutes**

TEMPÉRATURE **maximale et minimale**

TEMPS **8 — 10 heures**

PORTIONS **4**

Casserole de pâtes au poulet avec mascarpone

500 g (1 lb) de cuisses de poulet désossées, la peau enlevée, et coupées en morceaux

1 oignon, haché finement

1 poivron rouge et 1 poivron orange, étrognés, épépinés, et coupés en dés

6 tomates séchées au soleil dans l'huile, égouttées et tranchées

2 gousses d'ail, hachées finement

15 ml (1 c. à soupe) de farine de maïs

1 boîte de 400 g (13 oz) de tomates hachées

1 cube de bouillon de poulet

250 ml (8 oz) d'eau

30 g (10 oz) de pennes

75 g (3 oz) de fromage mascarpone

un peu de basilic

sel et poivre

Préchauffer la mijoteuse si nécessaire ; voir les instructions du manufacturier. Mettre le poulet, l'oignon, les poivrons, les tomates séchées au soleil, et l'ail dans la mijoteuse. Dans un petit bol, mélanger la farine de maïs avec un peu d'eau pour obtenir une pâte lisse et ajouter à la mijoteuse.

Verser les tomates dans une tasse à mesurer allant au four à micro-ondes, émietter le cube de bouillon, ajouter l'eau, et cuire 2½ minutes à température élevée jusqu'à ce que le mélange bouille. Assaisonner de sel et de poivre et verser dans le récipient de la mijoteuse.

Bien mélanger, puis mettre le couvercle et cuire à température maximale 30 minutes. Réduire à température minimale et cuire 7½ à 9½ heures ou au réglage auto 8 à 10 heures.

Presqu'au moment de servir, ajouter les pâtes dans une casserole d'eau bouillante et cuire 8 à 10 minutes, jusqu'à ce qu'elles soient tendres. Mélanger le fromage mascarpone avec le poulet et la moitié de feuilles de basilic.

Égoutter les pâtes et les ajouter à la sauce. À l'aide d'une cuillère, verser dans des bols peu profonds, saupoudrer des feuilles de basilic restantes, et servir.

Le fromage mascarpone ajoute une merveilleuse onctuosité à cette sauce aux tomates à l'ail, mais si vous n'en avez pas, vous pouvez ajouter du fromage à la crème, riche en matières grasses, à l'ail et aux fines herbes, ou quelques cuillérées à soupe de double-crème.

PRÉPARATION **15 minutes**

TEMPÉRATURE **minimale**

TEMPS **1½ — 2 heures**

PORTIONS **4**

Morue fumée avec purée de haricots cannellini

- 2 boîtes de 410 g (13½ oz) de haricots cannellini, égouttés
- 1 botte de ciboules, tranchées finement; les parties blanches et vertes séparées
- 400 ml (14 oz) de fumet bouillant de poisson
- 5 ml (1 c. à thé) de moutarde à l'ancienne
- jus et zeste râpé de 1 citron
- 4 longes de morue fumée, environ 625 g (1¼ lb) au total
- 60 ml (4 c. à soupe) de crème fraîche, riche en matières grasses
- 1 petite botte de persil, cresson, ou feuilles de roquette, hachée grossièrement
- sel et poivre

Préchauffer la mijoteuse si nécessaire; voir les instructions du manufacturier. Ajouter les haricots égouttés dans la mijoteuse avec les parties blanches de la ciboule. Mélanger le fumet de poisson avec la moutarde, le jus et le zeste de citron, un peu de sel et de poivre, puis verser dans le récipient.

Déposer le poisson sur le dessus et saupoudrer d'un peu de poivre supplémentaire. Mettre le couvercle et cuire à température minimale 1½ à 2 heures ou jusqu'à ce que le poisson se défasse facilement lorsque pressé au centre avec un couteau.

À l'aide d'une cuillère à égoutter, retirer le poisson et le transférer dans une assiette. Vider presque tout le liquide de cuisson, puis réduire les haricots en une purée grossière. Ajouter la crème fraîche, l'oignon restant, le persil, le cresson ou la roquette, et mélanger. Goûter et rectifier l'assaisonnement, si nécessaire. À l'aide d'une cuillère, déposer la purée dans les assiettes et recouvrir du poisson.

La plupart d'entre nous n'avons pas le temps de préparer notre propre bouillon, alors préparez-le avec un cube de bouillon à faible teneur en sodium avec de l'eau bouillante de la bouilloire, en vous assurant qu'il est complètement dissout, puis ajouter le liquide directement dans le récipient de la mijoteuse.

PRÉPARATION **25 minutes, plus le temps de mariner**

TEMPÉRATURE **maximale et minimale**

TEMPS **10 — 11 heures**

PORTIONS **4**

Stifado

- **200 ml (7 oz) de vin rouge**
- **15 ml (1 c. à soupe) de purée de tomates**
- **30 ml (2 c. à soupe) d'huile d'olive**
- **2 à 3 tiges de thym, ou feuilles de laurier**
- **4 clous de girofle**
- **1,25 ml (¼ c. à thé) de piment de la Jamaïque, moulu**
- **300 g (10 oz) d'échalotes, coupées en 2 si elles sont grosses**
- **2 gousses d'ail, hachées finement**
- **750 g (1½ lb) de bœuf à ragoût, coupé en gros morceaux et le gras enlevé**
- **20 ml (4 c. à thé) de farine de maïs**
- **150 ml (¼ chopine) d'eau froide**
- **½ cube de bouillon**
- **sel et poivre**

POUR SERVIR

- **Tranches de pain français, grillé**
- **Beurre aux fines herbes**

La veille, dans un plat peu profond et non en métal, mélanger le vin, la purée de tomates, et l'huile. Ajouter les fines herbes, les épices, et un peu de sel et de poivre, puis mélanger ensemble. Ajouter les échalotes et l'ail. Ajouter le bœuf et le mélanger à la marinade, couvrir d'une pellicule de plastique et réfrigérer toute la nuit.

Préchauffer la mijoteuse si nécessaire ; voir les instructions du manufacturier. Dans une casserole, mettre la farine de maïs, mélanger avec un peu d'eau pour obtenir une pâte lisse, puis ajouter l'eau restante. Égoutter la marinade du bœuf dans la casserole et émietter le cube de bouillon. Porter à ébullition, en brassant.

Dans le récipient de la mijoteuse, mettre le bœuf, les échalotes, et les assaisonnements, verser le mélange de bouillon chaud, mettre le couvercle et cuire à température maximale 30 minutes. Réduire à température minimale et cuire 9½ à 10½ heures, ou au réglage auto de 10 à 11 heures jusqu'à ce que la viande soit tendre.

À l'aide d'une cuillère, verser dans les bols et servir avec du pain français grillé tartiné de beurre aux fines herbes.

Ce ragoût grec aromatique était traditionnellement cuit toute la nuit dans un four extérieur en argile, faisant de ce plat une recette idéale pour être adaptée à la mijoteuse. La marinade peut également être utilisée avec des morceaux de poulet et de lapin.

PRÉPARATION **20 minutes**

TEMPÉRATURE **maximale et minimale**

TEMPS **8 — 10 heures**

PORTIONS **4**

Agneau à la marocaine

1 oignon, haché finement

2 carottes, coupées en dés

250 g (8 oz) de rutabaga, coupé en dés

1 racine de gingembre frais de 4 cm (1½ po) de longueur, pelée et hachée finement

zeste de 1 citron râpé

10 ml (2 c. à thé) de harissa (pâte de piments marocaine)

2,5 ml (½ c. à thé) de piment de la Jamaïque moulu

675 g (1 lb 6 oz) de croupe d'agneau ou de bifteck d'épaule

15 ml (1 c. à soupe) de farine de maïs

1 boîte de 400 g (13 oz) de tomates broyées

150 ml (¼ chopine) de bouillon d'agneau

sel et poivre

quartiers de citron, pour garnir

POUR SERVIR

couscous

pitas

Préchauffer la mijoteuse si nécessaire ; voir les instructions du manufacturier. Mettre l'oignon et les légumes coupés en dés dans le récipient de la mijoteuse, ajouter le gingembre, le zeste de citron, la harissa, et le piment de la Jamaïque, puis déposer les biftecks d'agneau sur le dessus.

Dans un petit bol, mélanger la farine de maïs avec un peu d'eau pour obtenir une pâte lisse. Dans une casserole, mettre les tomates et le bouillon, ajouter et mélanger la pâte de farine de maïs, ajouter un peu de sel et de poivre, et porter à ébullition ; sinon, si vous préférez, chauffer au four à micro-ondes. Verser sur l'agneau.

Mettre le couvercle et cuire à température maximale 30 minutes. Réduire à température minimale et cuire 7½ à 9½ heures ou au réglage auto 8 à 10 heures, ou jusqu'à ce que l'agneau soit tendre. Garnir avec des quartiers de citron et servir avec du couscous mélangé avec le jus de 1 citron et des pitas grillés.

Les légumes, le gingembre, et le zeste de citron peuvent être préparés la veille et mis dans un sac de plastique au réfrigérateur. Si vous aimez réellement l'ail, ajoutez 2 gousses d'ail hachées finement ou ajoutez de la purée d'ail déjà préparée.

PRÉPARATION **20 minutes**

TEMPÉRATURE **minimale**

TEMPS **3½ — 5½ heures**

PORTIONS **4**

Calmars en daube
dans une sauce tomate avec chorizo

Calmars en daube dans une sauce tomate avec chorizo

625 g (1¼ lb) d'encornets froids

1 oignon, tranché finement

125 g (4 oz) de chorizo déjà coupé en dés

125 g (4 oz) de champignons de Paris, tranchés

1 poivron rouge, étrogné, épépiné, et tranché

2 gousses d'ail, hachées finement

2 à 3 brindilles de romarin, les feuilles enlevées de la tige

15 ml (1 c. à soupe) de purée de tomates

5 ml (1 c. à thé) de sucre semoule

1 boîte de 400 g (13 oz) de tomates broyées

100 ml (3½ oz) de vin rouge

15 ml (1 c. à soupe) de farine de maïs

sel et poivre

persil haché, pour décorer

riz ou tranches épaisses de pain, pour servir

Préchauffer la mijoteuse si nécessaire ; voir les instructions du manufacturier. Rincer les calmars à l'intérieur et à l'extérieur, retirer les tentacules et réserver. Égoutter et trancher les calmars. Mettre les tentacules dans un bol, couvrir d'une pellicule de plastique et réfrigérer.

Mettre l'oignon, le chorizo, les champignons et le poivron rouge dans le récipient de la mijoteuse. Ajouter l'ail, le romarin, la purée de tomates et le sucre, et mélanger avec les calmars tranchés.

Dans une casserole, verser les tomates et le vin, et porter à ébullition ; sinon, si vous le préférez, chauffer au four à micro-ondes. Ajouter un peu de sel et de poivre et verser le mélange dans le récipient de la mijoteuse, et mélanger ensemble tous les ingrédients.

Mettre le couvercle et cuire à température minimale 3 à 5 heures ou jusqu'à ce que les calmars soient tendres.

Presque au moment de servir, dans un petit bol, mélanger la farine de maïs avec un peu d'eau pour obtenir une pâte. Ajouter au récipient de la mijoteuse ainsi que les tentacules du calmar, puis remettre le couvercle et cuire à température minimale 30 minutes. À l'aide d'une cuillère, verser le mélange de calmars dans des bols remplis de riz, et servir saupoudré de persil haché, ou avec des tranches de pain épaisses.

Le secret pour avoir un calmar délicieux est de le faire cuire, soit très rapidement dans une poêle à frire, soit très lentement, comme dans cette recette avec du vin et des tomates. Le chorizo ajoute une saveur intense et épicée à la sauce.

PRÉPARATION **30 minutes**

TEMPÉRATURE **maximale et minimale**

TEMPS **6 — 8 heures**

PORTIONS **4**

Poulet avgolemono

8 cuisses de poulet désossées, la peau enlevée, environ 700 g (1 lb 6 oz) au total

1 oignon, tranché finement

2 à 3 brindilles d'origan ou de basilic

450 ml (¾ chopine) de bouillon de poulet bouillant

jus et zeste râpé de 1 citron

300 g (10 oz) de macaroni ou d'orzo

2 œufs entiers

2 jaunes d'œufs

60 ml (4 c. à soupe) de persil haché, un peu plus pour garnir (facultatif)

sel et poivre

boucles de zeste de citron, pour garnir (facultatif)

Préchauffer la mijoteuse si nécessaire ; voir les instructions du manufacturier. Mettre le poulet, l'oignon et l'origan ou le basilic dans le récipient de la mijoteuse. Mélanger le bouillon avec le jus et le zeste de citron et un peu de sel et de poivre. Verser le liquide sur le poulet.

Mettre le couvercle et cuire à température maximale 30 minutes. Réduire à température minimale et cuire 5½ à 6½ heures ou régler à auto 6 à 8 heures ou jusqu'à ce que le poulet soit tendre.

Presque au moment de servir, porter une grande casserole d'eau à ébullition, ajouter les pâtes et cuire 9 à 10 minutes, jusqu'à ce qu'elles soient tendres.

Pendant ce temps, verser le bouillon de la mijoteuse dans une grande casserole et porter à ébullition 5 minutes jusqu'à ce qu'il ait réduit du tiers ou à environ 200 ml (7 oz).

Dans un bol, fouetter les œufs et les jaunes d'œufs, puis ajouter graduellement deux louches pleines de bouillon jusqu'à ce que le mélange soit homogène. Verser dans la casserole avec le bouillon restant, puis fouetter à feu doux, jusqu'à ce que la sauce ait épaissi légèrement. Ajouter le persil et vérifier l'assaisonnement.

Verser la sauce sur le poulet. À l'aide d'une cuillère, mettre les pâtes dans des plats peu profonds et recouvrir du poulet. Garnir avec les boucles de zeste de citron et le persil haché, si désiré.

Cette sauce simple est facile à faire, mais elle doit être surveillée attentivement alors que les œufs cuisent, car si elle bout elle tournera de la même façon qu'une crème anglaise sucrée.

PRÉPARATION **15 minutes**

TEMPÉRATURE **maximale**

TEMPS **6 — 7 heures**

PORTIONS **4**

Jambon au cola

1,25 kg (2½ lb) de jambon fumé désossé, ayant trempé toute la nuit dans l'eau froide

5 clous de girofle

1 oignon, coupé en 8 quartiers

2 carottes, en tranches épaisses

1 boîte de 410 g (13½ oz) de haricots noirs ou de haricots rognons rouges, égouttés

2 feuilles de laurier

900 ml (1½ chopine) de cola

15 ml (1 c. à soupe) de sucre muscovado foncé

15 ml (1 c. à soupe) de purée de tomates

10 ml (2 c. à thé) de moutarde anglaise

Préchauffer la mijoteuse si nécessaire; voir les instructions du manufacturier. Égoutter le jambon et le mettre dans le récipient de la mijoteuse. Presser les clous de girofle dans 5 des quartiers d'oignons et ajouter au jambon avec les quartiers d'oignons et les tranches de carottes restantes. Ajouter les haricots égouttés et les feuilles de laurier.

Verser le cola dans une casserole, ajouter le sucre, la purée de tomates et la moutarde, et porter à ébullition, en brassant. Verser sur le jambon, mettre le couvercle et cuire à température maximale 6 à 7 heures, ou jusqu'à ce que le jambon soit tendre. Passer le liquide de cuisson dans une casserole et bouillir rapidement 10 minutes afin qu'il réduise de moitié. Garder le jambon et les légumes chauds dans la mijoteuse couverte, mais débranchée.

Faire des tranches minces de jambon et les disposer dans les assiettes avec les légumes, les haricots et un filet de sauce.

PRÉPARATION **5 minutes**

TEMPÉRATURE **maximale et minimale**

TEMPS **8 — 10 heures**

PORTIONS **4**

Haricots au lard de Boston

1 oignon, haché finement

2 carottes, coupées en dés

1 boîte de 410 g (13½ oz) de haricots à œil noir, égouttés

1 boîte de 410 g (13½ oz) de haricots borlotti, égouttés

2 feuilles de laurier

10 ml (2 c. à thé) de moutarde anglaise

15 ml (1 c. à soupe) de farine de maïs

15 ml (1 c. à soupe) de mélasse noire

30 ml (2 c. à soupe) de purée de tomates

30 ml (2 c. à soupe) de sucre muscovado pâle

30 ml (2 c. à soupe) de vinaigre de malt ou de vin rouge

1 cube de bouillon de poulet

450 ml (¾ chopine) d'eau bouillante

750 g (1½ lb) de tranches de poitrine de porc fumé, sans couenne

sel et poivre

pain à l'ail ou aux fines herbes, pour servir (facultatif)

Préchauffer la mijoteuse si nécessaire ; voir les instructions du manufacturier. Ajouter l'oignon, les carottes, les haricots égouttés et les feuilles de laurier dans le récipient de la mijoteuse, puis mélanger.

Dans un bol, mélanger ensemble la moutarde, la farine de maïs, la mélasse, la purée de tomates, le sucre et le vinaigre. Émietter le cube de bouillon, puis verser graduellement l'eau bouillante. Mettre dans le récipient de la mijoteuse et mélanger.

Déposer les tranches de poitrine de porc en une seule couche et les presser sous le niveau du liquide. Mettre le couvercle et cuire à température maximale 30 minutes. Réduire à température minimale et cuire 7½ à 9½ heures ou régler à température automatique et cuire 8 à 10 heures. Servir avec du pain chaud à l'ail ou aux fines herbes, si désiré.

Les haricots en boîte ont été utilisés pour sauver du temps, mais vous pouvez aussi utiliser des haricots secs. Faites-les tremper toute la nuit dans beaucoup d'eau froide, puis portez à ébullition dans une casserole remplie d'eau fraîche. Faites bouillir rapidement, 10 minutes, puis égouttez et ajoutez au récipient de la mijoteuse.

PRÉPARATION **15 minutes**

TEMPÉRATURE **maximale**

TEMPS **1½ — 2 heures**

PORTIONS **4**

Harengs chauds marinés

- **1 gros oignon rouge, tranché finement**
- **1 grosse carotte, coupée en julienne**
- **1 grosse branche de céleri, tranchée finement**
- **6 petits harengs, éviscérés, en filets, et rincés sous l'eau froide**
- **2 brindilles d'estragon, un peu plus pour garnir**
- **1 feuille de laurier**
- **150 ml (¼ chopine) de vinaigre de cidre**
- **25 g (1 oz) de sucre semoule**
- **600 ml (1 chopine) d'eau bouillante**
- **2,5 ml (½ c. à thé) de grains de poivre mélangés**
- **sel**

Préchauffer la mijoteuse si nécessaire ; voir les instructions du manufacturier. Mettre la moitié de l'oignon, de la carotte et du céleri dans le récipient de la mijoteuse. Déposer les filets de hareng sur le dessus, puis couvrir des légumes restants.

Ajouter l'estragon, la feuille de laurier, le vinaigre et le sucre. Verser l'eau bouillante et ajouter les grains de poivre et un peu de sel. Mettre le couvercle et cuire à température maximale 1½ à 2 heures ou jusqu'à ce que le poisson se défasse lorsque pressé avec un couteau.

À l'aide d'une cuillère, mettre le poisson, les légumes et un peu du liquide de cuisson dans des bols peu profonds, couper les filets de poisson en deux, si désiré. Garnir avec les brindilles d'estragon. Servir avec des betteraves marinées, des concombres à l'aneth, du pain et du beurre, si désiré.

PRÉPARATION **20 minutes**

TEMPÉRATURE **maximale et minimale**

TEMPS **8 — 10 heures**

PORTIONS **4**

Goulache de porc

- 1 oignon, haché finement
- 250 g (8 oz) de chou rouge, déchiqueté finement et la tige dure enlevée
- 5 ml (1 c. à thé) de graines de carvi
- 5 ml (1 c. à thé) de paprika
- 1,25 ml (¼ c. à thé) de piment de la Jamaïque moulu
- 2,5 ml (½ c. à thé) de flocons de chile séchés et broyés
- 20 ml (4 c. à thé) de farine de maïs
- 15 ml (1 c. à soupe) de sucre muscovado pâle
- 30 ml (2 c. à soupe) de purée de tomates
- 30 ml (2 c. à soupe) de vinaigre de vin rouge
- 4 côtelettes de longe de porc, environ 1 kg (2 lb) au total
- 400 ml (14 oz) de bouillon de poulet bouillant
- sel et poivre
- pain à l'ail pour servir (facultatif)

POUR GARNIR

- crème sure
- paprika
- flocons de chile séchés et broyés

Préchauffer la mijoteuse si nécessaire; voir les instructions du manufacturier. Mettre l'oignon et le chou rouge dans le récipient de la mijoteuse. Dans un petit bol, mélanger les graines, les épices et les flocons de chile avec la farine de maïs, le sucre, la purée de tomates, et le vinaigre. Déposer les côtelettes de porc sur le chou, puis verser le mélange d'épices sur le dessus.

Verser le bouillon, ajouter un peu de sel et de poivre, puis mettre le couvercle et cuire à température maximale 30 minutes. Réduire à température minimale et cuire 7½ à 9½ heures ou au réglage auto 8 à 10 heures, ou jusqu'à ce que le porc et le chou soient tendres.

À l'aide d'une cuillère, verser la goulache dans des bols peu profonds, recouvrir de cuillérées de crème sure et saupoudrer de paprika et de flocons de chile. Servir avec du pain à l'ail, si désiré.

Coupes de viande remises au goût du jour

Les coupes à l'ancienne que nos grand-mères faisaient cuire font un élégant retour. Elles sont bon marché et on les trouve partout, et plus elles cuisent, meilleures elles sont, ce qui en fait un excellent choix pour votre mijoteuse.

PRÉPARATION **15 minutes**

TEMPÉRATURE **maximale**

TEMPS **5 — 6 heures**

PORTIONS **4**

Bœuf braisé à la bière brune

- **1 k (2 lb) de poitrine de bœuf**
- **2 à 3 brindilles de romarin**
- **8 tranches de bacon fumé entrelardé**
- **25 g (1 oz) de beurre**
- **30 ml (2 c. à soupe) de farine**
- **300 ml (½ chopine) de bière brune**
- **300 ml (½ chopine) de bouillon de bœuf**
- **10 ml (2 c. à thé) de moutarde à l'ancienne**
- **15 ml (1 c. à soupe) de purée de tomates**
- **4 petits panais, coupés en 4**
- **250 g (8 oz) de carottes chantenay, les grosses coupées en 2**
- **1 poireau, en tranches épaisses**
- **sel et poivre**
- **pain croûté, pour servir (facultatif)**

Préchauffer la mijoteuse si nécessaire ; voir les instructions du manufacturier. Enlever la corde autour du bœuf, déposer le romarin au centre, recouvrir les côtés de bacon et attacher avec une nouvelle corde.

Dans une poêle à frire, chauffer le beurre, ajouter le bœuf et cuire les côtés recouverts de bacon jusqu'à ce qu'ils soient dorés. Transférer le bœuf dans le récipient de la mijoteuse. Ajouter la farine dans les jus de la poêle, puis mélanger la bière, le bouillon, la moutarde et la purée de tomates. Ajouter un peu de sel et de poivre, et porter à ébullition, en brassant.

Verser le mélange sur le bœuf, ajouter les légumes et presser le tout sous la surface du liquide. Mettre le couvercle et cuire à température maximale 5 à 6 heures ou jusqu'à ce que les légumes soient tendres.

Retirer le bœuf et le transférer sur une planche à découper, puis couper en tranches fines, jeter la corde et les brindilles de romarin. Déposer dans des bols peu profonds, ajouter les légumes, et une louche de jus à la bière dans chacun. Servir avec du pain croûté chaud pour tremper, si désiré.

La poitrine a une texture plus grossière que les rôtis de bœuf traditionnels, alors tranchez-la mince et servez-la avec beaucoup de jus de cuisson. Tout jus de cuisson restant fait une base excellente pour une soupe avec des légumes ou une variété de légumes et des lentilles.

PRÉPARATION **20 minutes**

TEMPÉRATURE **maximale**

TEMPS **6 — 7 heures**

PORTIONS **4**

Poitrine d'agneau farcie

1 poitrine d'agneau, environ 750 g (1½ lb)

400 g (13 oz) de saucisses aromatisées comme la Sicilienne ou la Toulouse

75 g (3 oz) d'abricots séchés prêts-à-manger, hachés

15 ml (1 c. à soupe) d'huile d'olive

1 oignon, tranché

30 ml (2 c. à soupe) de farine

450 ml (¾ chopine) de bouillon d'agneau

2 à 3 brindilles de romarin

15 ml (1 c. à soupe) de purée de tomates

sel et poivre

POUR SERVIR
riz

haricots verts

Préchauffer la mijoteuse si nécessaire; voir les instructions du manufacturier. Retirer la corde de la poitrine d'agneau et l'ouvrir à plat sur une planche à découper. Couper chaque saucisse sur la longueur et enlever la gaine. Presser la viande de la saucisse sur l'agneau et parsemer de haricots hachés. Rouler l'agneau et l'attacher, à intervalles, avec une corde.

Dans une poêle à frire, chauffer l'huile, ajouter l'agneau et dorer sur tous les côtés, puis ajouter les oignons à la mi-cuisson, et frire jusqu'à ce qu'ils soient tendres.

Transférer l'agneau dans le récipient de la mijoteuse. Ajouter la farine à l'oignon, puis mélanger le bouillon, le romarin, la purée de tomates et un peu de sel et de poivre. Porter à ébullition et verser sur l'agneau.

Mettre le couvercle et cuire à température maximale 6 à 7 heures ou jusqu'à ce que l'agneau soit très tendre. Couper en 8 tranches, jeter la corde, et servir dans des bols peu profonds sur un lit de riz avec des haricots verts, et ajouter des cuillérées de jus de cuisson tout autour.

C'est un excellent rôti si vous avez un budget à respecter. La poitrine d'agneau est très bon marché et, mélangée avec des saucisses aromatisées, elle peut facilement servir 4 personnes affamées. Elle est également délicieuse servie sur un lit de purée de légumes racines ou de patates douces avec du chile haché.

PRÉPARATION **30 minutes**

TEMPÉRATURE **maximale**

TEMPS **6 — 7 heures**

PORTIONS **4**

Tajine de dinde

- 1 pilon de dinde, environ 700 g (1 lb 6 oz)
- 15 ml (1 c. à soupe) d'huile d'olive
- 1 oignon, haché
- 2 gousses d'ail, hachées finement
- 1 racine de gingembre frais, de 2,54 cm (1 po), pelée et hachée finement
- 30 ml (2 c. à soupe) de farine
- 5 ml (1 c. à thé) de curcuma
- 5 ml (1 c. à thé) de cannelle moulue
- 5 ml (1 c. à thé) de coriandre moulue
- 2,5 ml (½ c. à thé) de graines de cumin
- 600 ml (1 chopine) de bouillon de poulet bouillant
- 1 boîte de 410 g (13½ oz) de pois chiches, égouttés
- 200 g (7 oz) de panais, coupés en dés
- 200 g (7 oz) de carottes coupées en dés
- sel et poivre
- 1 petite botte de coriandre, hachée grossièrement

POUR SERVIR

- riz ou couscous
- pain nan

Vérifier si le pilon de dinde n'est pas trop long pour le récipient de la mijoteuse avant de commencer, couper la souris au besoin avec un grand couteau, frapper avec un rouleau à pâtisserie ou un marteau pour disjoindre. Préchauffer la mijoteuse si nécessaire ; voir les instructions du manufacturier.

Dans une poêle à frire, chauffer l'huile, ajouter le pilon et cuire en tournant jusqu'à ce qu'il soit bien doré tout autour. Transférer dans le récipient de la mijoteuse. Ajouter l'oignon dans la poêle et cuire jusqu'à ce qu'il soit tendre. Ajouter l'ail, le gingembre et la farine, puis mélanger avec les épices. Ajouter graduellement le bouillon, assaisonner au goût de sel et de poivre, et porter à ébullition.

Verser le mélange d'oignon sur la dinde. Ajouter les pois chiches et les légumes et presser pour qu'ils soient recouverts de bouillon. Mettre le couvercle et cuire à température maximale 6 à 7 heures ou jusqu'à ce que la viande soit tendre et se détache facilement de l'os.

Retirer le pilon de dinde du récipient de la mijoteuse et le désosser, jeter la peau et les tendons. Couper en morceaux d'une bouchée et retourner la viande dans le récipient de la mijoteuse. Ajouter, en brassant, la coriandre hachée, et servir avec du riz ou du couscous et du pain nan.

Les pilons de dinde sont bon marché et vous ne devez pas penser qu'on devrait les manger à l'Action de grâces ou à Noël seulement. On peut les acheter dans les supermarchés toute l'année et ils ont réellement besoin d'une longue et douce cuisson, et peuvent être assaisonnés avec des mélanges d'épices marocaines et indiennes.

PRÉPARATION **15 minutes**

TEMPÉRATURE **minimale**

TEMPS **9 — 10 heures**

PORTIONS **4**

Bredie de queue de bœuf

- **15 à 30 ml (1 à 2 c. à soupe) d'huile de tournesol**
- **1 kg (2 lb) de queue de bœuf**
- **2 oignons, tranchés**
- **1 racine de gingembre frais de 2,5 cm (1 po), pelée et hachée finement**
- **2,5 ml (½ c. à thé) de flocons de chile séchés et broyés**
- **2,5 ml (½ c. à thé) de cannelle moulue**
- **5 ml (1 c. à thé) de cumin moulu**
- **30 ml (2 c. à soupe) de farine**
- **1 boîte de 400 g (13 oz) de tomates broyées**
- **300 ml (½ chopine) de bouillon de bœuf**
- **2 feuilles de laurier**
- **30 ml (2 c. à soupe) de sucre muscovado pâle**
- **30 ml (2 c. à soupe) de vinaigre de malt**
- **sel et poivre**
- **persil ou coriandre hachés, pour garnir**
- **purée de patates douces, pour servir**

Préchauffer la mijoteuse si nécessaire ; voir les instructions du manufacturier. Dans une poêle à frire, chauffer 15 ml (1 c. à soupe) d'huile, ajouter la queue de bœuf et cuire pour dorer de tous les côtés. À l'aide d'une cuillère à égoutter, retirer de la poêle et mettre dans le récipient de la mijoteuse.

Ajouter l'oignon dans la poêle avec un peu plus d'huile et cuire 5 minutes, jusqu'à ce qu'il soit tendre et légèrement doré. Incorporer le gingembre, les flocons de chile et les épices moulues, puis ajouter la farine. Ajouter, en mélangeant graduellement, les tomates et le bouillon. Incorporer les feuilles de laurier, le sucre, le vinaigre et un peu de sel et de poivre.

Porter le mélange à ébullition, puis, à l'aide d'une cuillère, verser dans le récipient de la mijoteuse, mettre le couvercle et cuire à température minimale 9 à 10 heures ou jusqu'à ce que la queue de bœuf soit tendre et se détache facilement des os. Servir sur une purée de patates douces et saupoudrer d'un peu de persil ou de coriandre hachés.

Il y a plusieurs versions de cette Bredie à base de tomates, c'est le nom Afrikaans d'un ragoût aux tomates de l'Afrique du Sud. La plupart sont préparés avec du mouton, mais la sauce légèrement aigre-douce avec la cannelle, et les flocons de chile se marie bien à la richesse de la queue de bœuf.

PRÉPARATION **20 minutes**

TEMPÉRATURE **minimale**

TEMPS **6 — 7 heures**

PORTIONS **4**

Lapin à la normande

30 ml (2 c. à soupe) de farine
1 lapin, coupé en 4 morceaux
15 ml (1 c. à soupe) d'huile d'olive
25 g (1 oz) de beurre
1 gros oignon, tranché
2 pommes à couteau acidulées comme la Granny Smith, étrognées et coupées en quartiers
45 ml (3 c. à soupe) de calvados ou de brandy
250 ml (8 oz) de bouillon de poulet
150 ml (¼ chopine) de cidre de Normandie
15 ml (3 c. à thé) de moutarde à l'ancienne
60 ml (4 c. à soupe) de crème fraîche (facultatif)
sel et poivre

POUR SERVIR
pois gourmands
petites pommes de terre nouvelles
persil

Préchauffer la mijoteuse si nécessaire ; voir les instructions du manufacturier. Mettre la farine dans une assiette, mélanger avec un peu de sel et de poivre, et utiliser pour fariner les morceaux de lapin.

Dans une poêle à frire, chauffer l'huile et le beurre, ajouter les morceaux de lapin et dorer des deux côtés. Enlever et transférer dans le récipient de la mijoteuse.

Ajouter l'oignon à la poêle et cuire, en brassant, jusqu'à ce qu'il soit légèrement doré. Ajouter les pommes, le Calvados ou le brandy et porter à ébullition. Flamber le brandy avec une grande allumette, et vous tenir loin jusqu'à ce que les flammes s'éteignent.

Mélanger le bouillon, le cidre, la moutarde avec un peu de sel et de poivre. Porter à ébullition et verser sur le lapin. Mettre le couvercle et cuire à température minimale 6 à 7 heures. Remuer la sauce. Ajouter la crème fraîche (si utilisée) et servir avec des pois gourmands et des petites pommes de terre nouvelles écrasées grossièrement et un peu de persil haché.

Le lapin s'accommode bien du cidre et du brandy dans cette version normande du *coq au vin*. Vous pouvez utiliser des cuisses et des pilons de poulet au lieu du lapin, ou bien essayer 8 grosses saucisses de porc, mais omettez le calvados ou le brandy et servez sans la crème fraîche.

PRÉPARATION **20 minutes**

TEMPÉRATURE **maximale**

TEMPS **6 — 7 heures**

PORTIONS **4**

Porc à l'alsacienne

- **15 ml (1 c. à soupe) d'huile de tournesol**
- **1 oignon, haché**
- **1 pomme à couteau, étrognée et coupée en dés**
- **4 tomates, coupées en dés**
- **5 ml (1 c. à thé) de graines de carvi**
- **300 ml (½ chopine) de bière blonde ou de lager**
- **150 ml (¼ chopine) de bouillon de poulet**
- **375 g (12 oz) de choucroute, égouttée**
- **4 saucisses kabanos au porc, environ 125 g (4 oz), coupées en 2**
- **2 carottes, coupées en dés**
- **2 à 3 concombres marinés à l'aneth, environ 125 g (4 oz) tranchés**
- **sel et poivre**
- **persil haché, pour garnir**
- **pain de seigle, pour servir (facultatif)**

Préchauffer la mijoteuse si nécessaire ; voir les instructions du manufacturier. Dans une poêle à frire, chauffer l'huile, ajouter l'oignon et cuire, en remuant, 5 minutes ou jusqu'à ce qu'il soit tendre. Assaisonner de sel et de poivre, porter à ébullition.

Mettre dans le récipient de la mijoteuse, ajouter la choucroute égouttée et mélanger ensemble. Presser le jarret de porc au centre et ajouter les saucisses, les carottes, les concombres à l'aneth, et presser le tout dans le liquide. Mettre le couvercle et cuire à température maximale 6 à 7 heures.

Saupoudrer le jarret de persil haché et servir directement dans le récipient de la mijoteuse, ou l'enlever du récipient, retirer la peau et jeter l'os. Couper la viande en petits morceaux et, à l'aide d'une cuillère, remettre dans la mijoteuse. Saupoudrer de persil et servir dans des bols peu profonds, recouverte de sauce et accompagnée de pain de seigle, si désiré.

Le jarret de porc, qui vient de l'épaule, est la partie la plus basse du pied, et vous devrez demander à votre boucher de le couper pour vous. Tout reste de sauce se gélifiera en refroidissant.

PRÉPARATION **15 minutes**

TEMPÉRATURE **maximale**

TEMPS **6 — 7 heures**

PORTIONS **4**

Jarret de jambon
aux lentilles avec courge épicée

- **1 à 1,25 kg (2 à 2½ lb) de jarret de porc fumé, trempé toute la nuit dans l'eau froide**
- **200 g (7 oz) de petites lentilles gris-bleu**
- **2 petits oignons, coupés en quartiers épais**
- **1 petite courge musquée, coupée en 4 à 6 tranches, les graines enlevées (laisser la peau)**
- **2 feuilles de laurier**
- **5 ml (1 c. à thé) de graines de fenouil**
- **2,5 à 3,75 ml (½ à ¾ c. à thé) de flocons de chile séchées et broyés**
- **750 ml (1¼ chopine) d'eau bouillante**
- **poivre**
- **1 petit bouquet de persil, haché grossièrement, pour garnir (facultatif)**

Préchauffer la mijoteuse si nécessaire ; voir les instructions du manufacturier. Égoutter le jarret de jambon et déposer dans le récipient de la mijoteuse. Ajouter les lentilles, les oignons et la courge. Ajouter les feuilles de laurier, saupoudrer de graines de fenouil, de flocons de chile, d'un peu de poivre, puis verser l'eau bouillante.

Mettre le couvercle et cuire à température maximale 6 à 7 heures ou jusqu'à ce que le jambon soit tendre et que les lentilles aient ramolli.

Retirer le jambon du récipient et déposer dans un plat de service. Enlever la couenne et désosser, puis couper la viande en morceaux. À l'aide d'une cuillère, verser les lentilles et les légumes dans des plats peu profonds et recouvrir de jambon. Saupoudrer de persil, si désiré, et servir les jus de cuisson restants dans un pichet ou un bol pour que chacun puisse se servir au besoin.

Laisser la pelure sur la courge durant la cuisson empêche la chair de se défaire, mais si vous ne pouvez pas vous procurer une petite courge musquée, coupez environ 500 grammes (1 livre) d'une grosse courgette et coupez-la en quatre morceaux. Le jarret peut être très salé, alors ajoutez du sel au goût à la toute fin.

PRÉPARATION **15 minutes**

TEMPÉRATURE **maximale**

TEMPS **6 — 7 heures**

PORTIONS **4**

Navarin d'agneau avec légumes printaniers

15 ml (1 c. à soupe) d'huile d'olive

1 kg (2 lb) de collier d'agneau ou 1 paquet de morceaux mélangés d'agneau à ragoût du supermarché

400 g (13 oz) de petites pommes de terre nouvelles, brossées et coupées en 2, si grosses

250 g (8 oz) d'échalotes, coupées en 2, si grosses

2 gousses d'ail, hachées finement (facultatif)

30 ml (2 c. à soupe) de farine

600 ml (1 chopine) de bouillon d'agneau

10 ml (2 c. à thé) de purée de tomates

5 ml (1 c. à thé) de moutarde de Dijon

1 bouquet garni frais ou séché

sel et poivre

POUR TERMINER

75 g (3 oz) de haricots verts, coupés en 2

100 g (3½ oz) de turions d'asperges fins, la tige coupée en 2

75 g (3 oz) de fèves ou de pois congelés

45 ml (3 c. à soupe) de persil haché, (facultatif)

Préchauffer la mijoteuse si nécessaire ; voir les instructions du manufacturier. Dans une poêle à frire, chauffer l'huile, ajouter les morceaux d'agneau et cuire jusqu'à ce qu'ils soient dorés de deux côtés. À l'aide d'une cuillère à égoutter, retirer de la poêle et déposer dans le récipient de la mijoteuse avec les pommes de terre.

Ajouter les échalotes et l'ail (si utilisé) à la poêle à frire, et cuire jusqu'à ce qu'ils soient légèrement dorés, puis ajouter la farine. Ajouter graduellement le bouillon et mélanger. Ajouter la purée de tomates, la moutarde, le bouquet garni, et un peu de sel et de poivre. Porter à ébullition, puis verser sur l'agneau.

Mettre le couvercle et cuire à température maximale 6 à 7 heures jusqu'à ce que l'agneau soit tendre. Juste avant de servir, mettre les légumes verts dans une petite casserole d'eau bouillante. Mijoter 5 minutes, puis égoutter et mélanger avec du persil (si utilisé). Remuer l'agneau, et à l'aide d'une cuillère, déposer les légumes sur le dessus. Servir dans des bols peu profonds.

Le collier d'agneau est réellement bon marché et lorsqu'il est cuit très longtemps, il se défait facilement de l'os. Vous voudrez probablement désosser l'agneau avant de servir, particulièrement si vous avez de jeunes enfants, ou bien vous pourriez utiliser 4 petits jarrets d'agneau au lieu du collier.

Repas végétariens

Vous pouvez faire beaucoup plus que des casseroles de viande dans votre mijoteuse. Essayez ces plats principaux végétariens et les accompagnements aromatisés aux épices provenant du monde entier. Et rappelez-vous : vous n'avez pas à les préparer que pour vos amis végétariens.

PRÉPARATION **30 minutes**

TEMPÉRATURE **minimale et maximale**

TEMPS **6¾ — 8¾ heures**

PORTIONS **4**

Cobbler de champignons

30 ml (2 c. à soupe) d'huile d'olive
1 oignon, haché
2 gousses d'ail, hachées
250 g (8 oz) de champignons café, pelés et coupés en 4
250 g (8 oz) de champignons de Paris, coupés en quartiers
15 ml (1 c. à soupe) de farine
200 ml (7 oz) de vin rouge
1 boîte de 400 g (13 oz) de tomates broyées
150 ml (¼ chopine) de bouillon de légumes
15 ml (1 c. à soupe) de gelée de groseilles rouges à grappe
2 à 3 brindilles de thym
sel et poivre

SCONES AUX NOIX DE GRENOBLE
200 g (7 oz) de farine à levure
50 g (2 oz) de beurre, coupé en dés
50 g (2 oz) de morceaux de noix de Grenoble, hachés
75 g (3 oz) de fromage cheddar, râpé
1 œuf battu
60 à 75 ml (4 à 5 c. à soupe) de lait

Préchauffer la mijoteuse si nécessaire ; voir les instructions du manufacturier. Dans une poêle à frire, chauffer l'huile, ajouter l'oignon, l'ail et les champignons, frire en brassant, 5 minutes jusqu'à ce que le tout commence à dorer.

Ajouter la farine, puis mélanger le vin, les tomates et le bouillon. Ajouter la gelée de groseilles, le thym, le sel et le poivre, et porter à ébullition. Verser dans le récipient de la mijoteuse, mettre le couvercle et cuire à température minimale 6 à 8 heures.

Presque au moment de servir, préparer la garniture. Dans un bol, mettre la farine et le beurre, travailler avec les mains jusqu'à ce que le mélange ait une consistance granuleuse. Ajouter les noix de Grenoble, le cheddar, le sel et le poivre, et remuer. Ajouter la moitié de l'œuf, puis mélanger avec assez de lait pour obtenir une pâte molle.

Pétrir légèrement, puis rouler la pâte sur une surface légèrement farinée jusqu'à ce qu'elle soit de 2 cm (¾ po) d'épaisseur. À l'aide d'un emporte-pièce régulier, découper 8 morceaux, et rouler à nouveau la pâte restante au besoin. Remuer la casserole de champignons, puis déposer les scones, les laissant se chevaucher légèrement tout autour du récipient. Mettre le couvercle et cuire à température maximale 45 minutes ou jusqu'à ce qu'ils aient bien levé.

À l'aide de gants de cuisinier, retirer le récipient de la mijoteuse, badigeonner le dessus des scones avec l'œuf restant et dorer sous le gril de la cuisinière préchauffé, si désiré.

PRÉPARATION **25 minutes**

TEMPÉRATURE **maximale**

TEMPS **3¼ — 4 heures 20 minutes**

PORTIONS **4**

Ratatouille d'aubergine
avec boulettes de pâte au ricotta

45 ml (3 c. à soupe) d'huile d'olive
1 oignon, haché
1 aubergine tranchée
2 courgettes, environ 375 g (12 oz) au total, tranchées
1 poivron rouge, étrogné, épépiné, et coupé en dés
1 poivron jaune, étrogné, épépiné, et coupé en dés
2 gousses d'ail, hachées finement
15 ml (1 c. à soupe) de farine
1 boîte de 400 g (13 oz) de tomates broyées
300 ml (½ chopine) de bouillon de légumes
2 à 3 brindilles de romarin
sel et poivre

BOULETTES DE PÂTE
100 g (3½ oz) de farine
75 g (3 oz) de fromage ricotta
zeste râpé de ½ citron
1 œuf, battu

Préchauffer la mijoteuse si nécessaire; voir les instructions du manufacturier. Dans une poêle à frire, chauffer l'huile, ajouter l'oignon et l'aubergine et cuire, en brassant, 5 minutes ou jusqu'à ce qu'ils soient tendres et commencent à dorer.

Ajouter les courgettes, les poivrons et l'ail, remuer et frire 3 à 4 minutes. Incorporer la farine, puis les tomates, le bouillon, le romarin, et un peu de sel et de poivre. Porter à ébullition, puis à l'aide d'une cuillère, verser dans le récipient de la mijoteuse. Mettre le couvercle et cuire à température maximale 3 à 4 heures jusqu'à ce que les légumes soient tendres.

Presque au moment de servir, préparer les boulettes de pâte. Dans un bol, mettre la farine, le ricotta, le zeste de citron et un peu de sel et de poivre. Ajouter l'œuf et mélanger pour obtenir une pâte molle, mais non collante. Couper en 12 portions et rouler chaque morceau, avec les mains farinées pour obtenir des boulettes.

Remuer la ratatouille et déposer les boulettes de pâte sur le dessus. Remettre le couvercle et cuire 15 à 20 minutes ou jusqu'à ce que les boulettes de pâte soient légères, mais fermes au toucher.

Ces boulettes de pâte, aromatisées au citron, d'inspiration italienne sont également délicieuses dans une soupe de légumes-racines cuite à la mijoteuse, ou ajoutées à des ragoûts plus consistants de champignons et de lentilles, et même à des mélanges de haricots au chile.

PRÉPARATION **15 minutes**

TEMPÉRATURE **minimale**

TEMPS **6 — 8 heures**

PORTIONS **4**

Patates douces
et œufs aromatisés au cari

15 ml (1 c. à soupe) d'huile de tournesol

1 oignon, haché

5 ml (1 c. à thé) de graines de cumin, broyées grossièrement

5 ml (1 c. à thé) de coriandre moulue

5 ml (1 c. à thé) de curcuma

5 ml (1 c. à thé) de garam massala

2,5 ml (½ c. à thé) de flocons de chile broyés et séchés

300 g (10 oz) de patates douces, coupées en dés

2 gousses d'ail, hachées finement

1 boîte de 400 g (13 oz) de tomates broyées

1 boîte de 410 g (13½ oz) de lentilles, égouttées

300 ml (½ chopine) de bouillon de légumes

5 ml (1 c. à thé) de sucre semoule

6 œufs

150 g (5 oz) de pois congelés

150 ml (¼ chopine) de double-crème

un petit bouquet de coriandre, déchirée en morceaux

sel et poivre

riz ou pain nan, pour servir (facultatif)

Préchauffer la mijoteuse si nécessaire; voir les instructions du manufacturier. Dans une poêle à frire, chauffer l'huile, ajouter l'oignon et frire, en brassant, 5 minutes ou jusqu'à ce qu'il ait ramolli et commence à dorer.

Incorporer les épices, les flocons de chile, les patates douces et l'ail et cuire deux minutes. Ajouter les tomates, les lentilles, le bouillon et le sucre et assaisonner d'un peu de sel et de poivre. Porter à ébullition, en brassant. À l'aide d'une cuillère, déposer dans le récipient de la mijoteuse, mettre le couvercle et cuire à température minimale 6 à 8 heures.

Presque au moment de servir, mettre les œufs dans une petite casserole, couvrir d'eau froide, porter à ébullition et mijoter 8 minutes. Égoutter, briser la coquille et refroidir sous l'eau froide. Peler et couper les œufs en deux, puis ajouter au récipient de la mijoteuse avec les pois, la double-crème et la moitié de la coriandre. Mettre le couvercle et cuire à température minimale 15 minutes.

À l'aide d'une cuillère, verser le cari dans les bols, garnir avec la coriandre restante et servir avec du riz ou du pain nan chaud, si désiré.

PRÉPARATION **20 minutes**

TEMPÉRATURE **maximale**

TEMPS **1½ — 2 heures**

PORTIONS **4**

Tian de courgettes

50 g (2 oz) de riz à longs grains
Beurre, pour graisser
1 tomate, tranchée
15 ml (1 c. à soupe) d'huile d'olive
½ oignon, haché
1 gousse d'ail, hachée finement
1 courgette, environ 175 g (6 oz), râpée grossièrement
125 g (4 oz) d'épinards, déchiquetés grossièrement
3 œufs
90 ml (6 c. à soupe) de lait
1 pincée de muscade, râpée
60 ml (4 c. à soupe) de menthe hachée
sel et poivre

Préchauffer la mijoteuse si nécessaire ; voir les instructions du manufacturier. Porter à ébullition une petite casserole remplie d'eau, ajouter le riz, porter à nouveau à ébullition, puis laisser mijoter 8 à 10 minutes ou jusqu'à ce qu'il soit tendre. Pendant ce temps, beurrer l'intérieur d'un moule à soufflé de 14 cm (5½ po) de diamètre et 9 cm (3½ po) de hauteur. Tapisser de papier parchemin et déposer les tomates, se chevauchant, sur le papier.

Dans une poêle à frire, chauffer l'huile, ajouter l'oignon et cuire, en brassant, 5 minutes ou jusqu'à ce qu'il ait ramolli et qu'il commence à dorer. Incorporer l'ail, puis la courgette et les épinards et cuire 2 minutes ou jusqu'à ce que les épinards s'affaissent.

Battre ensemble les œufs, le lait, la muscade et un peu de sel et de poivre. Égoutter le riz et l'incorporer dans le mélange d'épinards avec le mélange d'œufs et la menthe. Bien mélanger, puis à l'aide d'une cuillère, déposer dans le plat à soufflé. Couvrir lâchement avec du papier d'aluminium beurré et le déposer dans le récipient de la mijoteuse à l'aide de lanières en aluminium (voir page 17) ou une corde autour du rebord.

Verser l'eau bouillante dans le récipient de la mijoteuse jusqu'à ce que l'eau atteigne la moitié du plat. Mettre le couvercle et cuire à l'allure maximale 1½ à 2 heures ou jusqu'à ce que le tian soit ferme au centre. Retirer le plat du récipient de la mijoteuse et laisser reposer 5 minutes.

Enlever le papier d'aluminium du plat, détacher les bords et retourner sur une assiette. Retirer le papier cuisson, couper en pointes et servir chaud avec une salade, si désiré.

PRÉPARATION **10 minutes**

TEMPÉRATURE **maximale**

TEMPS **3 — 4 heures**

PORTIONS **4**

Spaghetti aux tomates balsamiques

15 ml (1 c. à soupe) d'huile d'olive
750 g (1½ lb) de tomates italiennes, coupées en deux
60 ml (4 c. à soupe) de vin blanc
60 ml (4 c. à soupe) d'un bon vinaigre balsamique
375 g (12 oz) de spaghetti
sel et poivre

POUR GARNIR
petit bouquet de basilic
fromage parmesan, râpé ou en copeaux

Préchauffer la mijoteuse si nécessaire ; voir les instructions du manufacturier. Badigeonner d'huile le fond du récipient de la mijoteuse, ajouter les tomates, le côté coupé en dessous, arroser de vin et de vinaigre et ajouter un peu de sel et de poivre. Mettre le couvercle et cuire à température maximale 3 à 4 heures.

Presque au moment de servir, porter une grande casserole d'eau à ébullition, ajouter les pâtes et cuire 6 à 7 minutes ou jusqu'à ce qu'elles soient tendres. Égoutter et mélanger à la sauce.

À l'aide d'une cuillère, déposer les pâtes dans des bols et servir parsemées de feuilles de basilic et de parmesan râpé ou en copeaux.

Si vous préférez une sauce aux tomates plus épaisse, mélangez quelques cuillérées de farine de maïs avec de l'eau pour former une pâte et incorporez à la sauce, 30 minutes avant la fin de la cuisson.

PRÉPARATION **20 minutes**

TEMPÉRATURE **minimale**

TEMPS **4 — 5 heures**

PORTIONS **4**

Poivrons farcis
aux fines herbes

Poivrons farcis aux fines herbes

4 poivrons de couleur différente

100 g (3½ oz) de riz brun à cuisson rapide

1 boîte de 410 g (13½ oz) de pois chiches, égouttés

petit bouquet de persil, haché grossièrement

petit bouquet de menthe, haché grossièrement

1 oignon, haché finement

2 gousses d'ail, hachées finement

2,5 ml (½ c. à thé) de paprika fumé (pimenton)

5 ml (1 c. à thé) de piment de la Jamaïque, moulu

600 ml (1 chopine) de bouillon de légumes bouillant

sel et poivre

Préchauffer la mijoteuse si nécessaire ; voir les instructions du manufacturier. Couper le dessus des poivrons, les étrogner et les épépiner.

Mélanger ensemble le riz, les pois chiches, les fines herbes, l'oignon, l'ail, le paprika et le piment de la Jamaïque, avec beaucoup de sel et de poivre. À l'aide d'une cuillère, déposer le mélange dans les poivrons, puis mettre les poivrons dans le récipient de la mijoteuse.

Verser le bouillon bouillant autour des poivrons, mettre le couvercle et cuire à température minimale 4 à 5 heures ou jusqu'à ce que le riz et les poivrons soient tendres.

Mettre les poivrons dans les assiettes et servir avec une salade et des cuillérées de yogourt grec aromatisé de fines herbes.

Vous pouvez varier les herbes utilisées dans cette recette, alors pourquoi ne pas essayer le basilic haché et la ciboulette ou le romarin et le persil ? Si vous avez une ou deux tomates, coupez-les en dés et ajoutez-les à la farce.

PRÉPARATION **15 minutes**

TEMPÉRATURE **maximale**

TEMPS **4 — 5 heures**

PORTIONS **4**

Pommes de terre au four à l'espagnole

30 ml (2 c. à soupe) d'huile d'olive

1 gros oignon rouge, tranché finement

2 gousses d'ail, hachées finement

5 ml (1 c. à thé) de paprika fumé (pimenton)

1,25 à 2,5 ml (¼ à ½ c. à thé) (ou au goût) de flocons de chile séchés et broyés

1 poivron rouge, étrogné, épépiné et coupé en dés

1 poivron jaune, étrogné, épépiné et coupé en dés

1 boîte de 400 g (13 oz) de tomates broyées

300 ml (½ chopine) de bouillon de légumes

2 à 3 brindilles de thym

50 g (2 oz) d'olives séchées, dénoyautées

625 g (1¼ lb) de pommes de terre au four, coupées en morceaux de 2,5 cm (1 po)

sel et poivre

pain croûté pour servir

Préchauffer la mijoteuse si nécessaire; voir les instructions du manufacturier. Dans une poêle à frire, chauffer l'huile, ajouter l'oignon et cuire, en brassant, 5 minutes ou jusqu'à ce qu'il ait ramolli et commence à dorer.

Incorporer l'ail, le paprika, les flocons de chile et les poivrons et cuire 2 minutes. Ajouter les tomates, le bouillon, le thym, les olives, et un peu de sel et de poivre, puis porter à ébullition.

Ajouter les pommes de terre au récipient de la mijoteuse, verser le mélange chaud de tomates, mettre le couvercle et cuire à température maximale 4 à 5 heures ou jusqu'à ce que les pommes de terre soient tendres. Servir avec du pain croûté chaud.

Si vous avez des restes ils seront aussi bons le lendemain si vous les réchauffez au four à micro-ondes. Essayez les légumes mélangés recouverts d'un peu de fromage feta émietté et d'un peu de feuilles de roquette.

PRÉPARATION **20 minutes**

TEMPÉRATURE **minimale**

TEMPS **6 — 8 heures**

PORTIONS **4**

Gnocchis à la citrouille et au parmesan

15 ml (1 c. à soupe) d'huile d'olive
25 g (1 oz) de beurre
1 oignon, tranché finement
2 gousses d'ail, hachées finement
30 ml (2 c. à soupe) de farine
150 ml (¼ chopine) de vin blanc sec
300 ml (½ chopine) de bouillon de légumes
2 à 3 brindilles de sauge, un peu plus pour garnir (facultatif)
400 g (13 oz) de citrouille (ou de courge musquée), épépinée, pelée, coupée en dés et pesée après la préparation
500 g (1 lb) de gnocchi froids
125 ml (4 oz) de double-crème
sel et poivre
fromage parmesan, fraîchement râpé ou en copeaux, pour garnir

Préchauffer la mijoteuse si nécessaire ; voir les instructions du manufacturier. Dans une poêle à frire, chauffer l'huile, ajouter l'oignon et cuire, en brassant, 5 minutes ou jusqu'à ce qu'il ait ramolli et commence à dorer.

Ajouter l'ail, cuire 2 minutes, puis incorporer la farine. Verser graduellement le vin et le bouillon, mélanger et chauffer, en brassant jusqu'à ce que le mélange soit homogène. Ajouter la sauge et bien assaisonner de sel et de poivre.

Ajouter la citrouille dans le récipient de la mijoteuse, verser la sauce chaude, puis presser la citrouille sous la surface du liquide. Mettre le couvercle et cuire à température minimale 6 à 8 heures ou jusqu'à ce que la citrouille soit tendre.

Presque au moment de servir, porter une grande casserole d'eau à ébullition, ajouter les gnocchis, porter à ébullition et cuire 2 à 3 minutes ou jusqu'à ce que les gnocchis flottent à la surface et soient très chauds. Verser dans la passoire pour égoutter.

Verser la double-crème, puis les gnocchis dans le mélange de citrouille, mélanger légèrement puis à l'aide d'une cuillère, déposer dans des bols peu profonds et servir avec du fromage parmesan râpé ou en copeaux et quelques feuilles de sauge, si désiré.

La sauce à la citrouille pourrait être également mélangée avec des pâtes que l'on vient de faire cuire au lieu des gnocchis et parsemée de noisettes ou de noix de Grenoble rôties, et grossièrement hachées, pour donner un peu de croustillant.

PRÉPARATION **10 minutes**

TEMPÉRATURE **maximale**

TEMPS **4 — 5 heures**

PORTIONS **4 — 6**

Céleri en daube à l'orange

- **2 cœurs de céleri**
- **zeste râpé et jus d'une petite orange**
- **30 ml (2 c. à soupe) de sucre muscovado pâle**
- **1 boîte de 400 g (13 oz) de tomates broyées**
- **sel et poivre**

Préchauffer la mijoteuse si nécessaire; voir les instructions du manufacturier. Couper chaque cœur de céleri en deux sur la longueur, et rincer à l'eau froide pour enlever la saleté. Égoutter et mettre dans le récipient de la mijoteuse.

Mélanger ensemble les ingrédients restants et verser sur le céleri. Mettre le couvercle et cuire à température maximale 4 à 5 heures ou jusqu'à ce que le céleri soit tendre.

Si vous préférez une sauce plus épaisse, verser le liquide du récipient de la mijoteuse dans une casserole et bouillir rapidement 4 à 5 minutes pour qu'elle réduise. Verser à nouveau sur le céleri et servir.

PRÉPARATION **15 minutes**

TEMPÉRATURE **minimale**

TEMPS **6 — 8 heures**

PORTIONS **4**

Betteraves chaudes marinées

- **15 ml (1 c. à soupe) d'huile d'olive**
- **2 oignons rouges, hachés grossièrement**
- **1 botte de betteraves, d'environ 500 g (1 lb) au total, nettoyées, pelées et coupées en cubes de 1,5 cm (½ po)**
- **1 pomme rouge à couteau, étrognée et coupée en dés**
- **1 racine de gingembre frais de 4 cm (1½ po), pelée et hachée finement**
- **60 ml (4 c. à soupe) de vinaigre de vin rouge**
- **30 ml (2 c. à soupe) de miel clair**
- **450 ml (¾ chopine) de bouillon de légumes**
- **sel et poivre**

POUR SERVIR

- **crème sure**
- **aneth**

Préchauffer la mijoteuse si nécessaire ; voir les instructions du manufacturier. Dans une poêle à frire, chauffer l'huile, ajouter les oignons et cuire, en brassant, 5 minutes ou jusqu'à ce qu'ils commencent à ramollir et à dorer.

Ajouter les betteraves et cuire 3 minutes puis ajouter la pomme, le gingembre, le vinaigre et le miel. Verser le bouillon, ajouter un peu de sel et de poivre et porter à ébullition. Verser le mélange dans le récipient de la mijoteuse, presser les betteraves sous la surface du liquide, puis mettre le couvercle à température minimale 6 à 8 heures ou jusqu'à ce qu'elles soient tendres.

Servir chaudes, en entrée, recouvertes de cuillerées de crème sure et d'aneth haché ou comme plat d'accompagnement.

PRÉPARATION **25 minutes**

TEMPÉRATURE **maximale**

TEMPS **1½ — 2 heures**

PORTIONS **2**

Timbales d'aubergine

60 ml (4 c. à soupe) d'huile d'olive, un peu plus pour graisser

1 grosse aubergine, tranchée finement

1 petit oignon, haché

1 gousse d'ail, hachée finement

2,5 ml (½c.à thé) de cannelle moulue

1,2 ml (¼ c. à thé) de muscade râpée

25 g (1 oz) de pistaches, hachées grossièrement

25 g (1 oz) de dattes dénoyautées, hachées grossièrement

25 g (1 oz) d'abricots séchés, prêts à manger, hachés grossièrement

75 g (3 oz) de riz blanc à cuisson rapide

300 ml (½ chopine) de bouillon de légumes bouillant

sel et poivre

salade ou tomates en grappe, pour servir (facultatif)

Préchauffer la mijoteuse si nécessaire ; voir les instructions du manufacturier. Huiler légèrement le fond de deux moules à soufflé ou de plats individuels, résistants à la chaleur, à côtés droits, de 350 ml (12 oz) et tapisser le fond de chacun avec un cercle de papier parchemin, en n'oubliant pas de vérifier si vos plats s'adaptent au récipient.

Dans une poêle à frire, chauffer 15 ml (1 c. à soupe) d'huile, ajouter un tiers des aubergines et cuire des deux côtés jusqu'à ce qu'elles aient ramolli et soient dorées. À l'aide d'une cuillère à égoutter, transférer dans une assiette. Répéter avec les aubergines restantes en utilisant 30 ml (2 c. à soupe) d'huile supplémentaire.

Dans une casserole, chauffer 15 ml (1 c. à soupe) de l'huile restante, ajouter l'oignon et cuire 5 minutes ou jusqu'à ce qu'il ait ramolli. Incorporer l'ail, les épices, les pistaches, les fruits et le riz. Assaisonner de sel et de poivre et remuer pour mélanger.

Diviser les aubergines en trois piles et partager une pile dans la base des deux plats, en faisant chevaucher les tranches. À l'aide d'une cuillère, déposer le quart du mélange de riz, dans chaque plat, ajouter une deuxième couche de tranches d'aubergine, puis diviser le riz restant entre les deux plats. Recouvrir des tranches d'aubergine restantes. Verser le bouillon dans les plats, couvrir de papier d'aluminium légèrement huilé et mettre dans la mijoteuse.

Verser l'eau dans le récipient jusqu'à ce que le niveau atteigne la moitié des plats. Mettre le couvercle et cuire à température maximale 1½ à 2 heures jusqu'à ce que le riz soit tendre.

À l'aide de gants de cuisinier, retirer les plats du récipient. À l'aide d'un couteau à lame ronde, détacher des parois et renverser les timbales sur des assiettes. Retirer le papier et servir chaudes, accompagnées de salade verte ou de tomates en grappe.

PRÉPARATION **15 minutes**

TEMPÉRATURE **maximale**

TEMPS **3 — 4 heures**

PORTIONS **4**

Tarka dhal

250 g (8 oz) de lentilles rouges

1 oignon, haché finement

2,5 ml (½ c. à thé) de curcuma

2,5 ml (½ c. à thé) de graines de cumin, broyées grossièrement

1 racine de gingembre frais de 2 cm (¾ po), pelée et hachée finement

1 boîte de 200 g (7 oz) de tomates broyées

600 ml 1 chopine) de bouillon de légumes bouillant

150 g (5 oz) yogourt nature

sel et poivre

feuilles de coriandre déchirées, pour garnir

pain nan, pour servir

TARKA

15 ml (1 c. à soupe) d'huile de tournesol

10 ml (2 c. à thé) de graines de moutarde noire

2,5 ml (½ c. à thé) de graines de cumin, broyées grossièrement

1 pincée de curcuma

2 gousses d'ail, hachées finement

Préchauffer la mijoteuse si nécessaire; voir les instructions du manufacturier. Bien rincer les lentilles à l'eau froide, égoutter et mettre dans le récipient de la mijoteuse avec les oignons, les épices, le gingembre, les tomates et le bouillon bouillant.

Ajouter un peu de sel et de poivre, mettre le couvercle et cuire à température maximale 3 à 4 heures ou jusqu'à ce que les lentilles aient ramollies et soient tendres.

Presque au moment de servir, préparer la tarka. Dans une petite poêle à frire, chauffer l'huile, ajouter les graines de moutarde et de cumin, le curcuma et l'ail et cuire 2 minutes, en brassant.

Réduire en une purée grossière le mélange de lentilles et à l'aide d'une cuillère, déposer dans des bols. Ajouter des cuillérées de yogourt et un peu de tarka. Garnir de feuilles de coriandre et servir avec du pain nan chaud.

Plats pour recevoir des amis

Préparer le dîner à la mijoteuse, élimine les efforts lors d'une réception. Vous savez que votre repas est en train de cuire avant que vos amis arrivent et que les aliments ne se gâteront pas s'il y a un peu de retard, alors vous pouvez vous détendre et profiter d'un apéritif.

PRÉPARATION **15 minutes**

TEMPÉRATURE **maximale**

TEMPS **3 — 4 heures**

PORTIONS **2 — 3**

Faisan braisé aux marrons

1 faisan, d'environ 750 g (1½ lb)
25 g (1 oz) de beurre
15 ml (1 c. à soupe) d'huile d'olive
200 g (7 oz) d'échalotes, coupées en 2
50 g (2 oz) de bacon fumé entrelardé, coupé en dés, ou de pancetta pré-coupée
2 branches de céleri, en tranches épaisses
15 ml (1 c. à soupe) de farine
300 ml (½ chopine) de bouillon de poulet
60 ml (4 c. à soupe) de xérès sec
100 g (3½ oz) de marrons préparés, emballés sous vide
2 à 3 brindilles de thym
sel et poivre
gratin dauphinois, pour servir

Préchauffer la mijoteuse si nécessaire; voir les instructions du manufacturier. Bien rincer le faisan à l'intérieur et à l'extérieur à l'eau froide et assécher avec des essuie-tout.

Dans une poêle à frire, chauffer le beurre et l'huile, ajouter le faisan, la poitrine en dessous, les échalotes, le bacon ou la pancetta, et le céleri, et cuire jusqu'à ce que le tout soit bien doré, en tournant le faisan et en brassant les autres ingrédients. Transférer le faisan dans le récipient de la mijoteuse, la poitrine en dessous.

Incorporer la farine dans le mélange d'oignons. Ajouter graduellement le bouillon et le xérès, puis ajouter les marrons, le thym, et un peu de sel et de poivre. Porter à ébullition, en brassant, puis à l'aide d'une cuillère, verser sur le faisan. Mettre le couvercle et cuire à température maximale 3 à 4 heures, jusqu'à ce qu'il soit tendre. À l'aide d'un couteau, vérifier dans la partie la plus épaisse de la cuisse et de la poitrine du faisan, si les jus sont clairs.

Découper la poitrine du faisan en tranches et couper les cuisses. Servir avec un gratin dauphinois.

PRÉPARATION **15 minutes**

TEMPÉRATURE **minimale**

TEMPS **1¾ — 2¼ heures**

PORTIONS **4**

Saumon à la chermoula

6 ciboules
25 g (1 oz) de persil
25 g (1 oz) de coriandre
zeste râpé et jus de 1 citron
60 ml (4 c. à soupe) d'huile d'olive
2,5 ml (½ c. à thé) de graines de cumin, broyées grossièrement
500 g (1 lb) de la partie épaisse du filet de saumon, pas plus long que 18 cm (7 po), la peau enlevée
250 ml (8 oz) de fumet de poisson
90 ml (6 c. à soupe) de mayonnaise
125 g (4 oz) de feuilles de laitues variées
sel et poivre

Préchauffer la mijoteuse si nécessaire; voir les instructions du manufacturier. À l'aide d'un grand couteau ou d'un robot culinaire, hacher finement la ciboule et les fines herbes. Mélanger avec le zeste et le jus de citron, l'huile, les graines de cumin, et un peu de sel et de poivre.

Rincer, à l'eau froide, le saumon, bien égoutter et placer sur un grand morceau de papier d'aluminium, de la largeur du saumon. Presser la moitié du mélange de fines herbes sur les deux côtés du saumon, puis utiliser le papier d'aluminium pour déposer le poisson dans le récipient de la mijoteuse.

Dans une petite casserole, porter le fumet à ébullition, verser sur le saumon, et replier les bouts du papier d'aluminium, si nécessaire. Mettre le couvercle et cuire à température minimale 1¾ — 2¼ heures ou jusqu'à ce que le poisson se défasse en morceaux opaques lorsque pressé au centre avec un couteau.

À l'aide du papier d'aluminium, lever le saumon du récipient de la mijoteuse et transférer dans une assiette de service. Combiner le mélange de fines herbes non cuites restantes avec la mayonnaise. Partager les feuilles de laitue dans 4 assiettes. Couper le saumon en 4 portions et placer sur la laitue. Servir avec la mayonnaise aux fines herbes.

Pour les plus gros appétits, mélangez des tranches épaisses de pommes de terre nouvelles cuites, avec la mayonnaise aux fines herbes, et à l'aide d'une cuillère, déposer au centre des assiettes, recouvrir de feuilles de laitue, puis de saumon.

PRÉPARATION **20 minutes**

TEMPÉRATURE **minimale et maximale**

TEMPS **6¼ — 8¼ heures**

PORTIONS **4**

Cari de poulet
avec verdure

- **15 ml (1 c. à soupe) d'huile de tournesol**
- **30 ml (2 c. à soupe) de pâte de cari vert thaï**
- **10 ml (2 c. à thé) de pâte galanga**
- **2 piments verts thaïs, épépinés et tranchés finement**
- **1 oignon, finement haché**
- **8 cuisses de poulet, environ 1kg (2 lb) total, la peau enlevée, désossées et coupées en cubes**
- **400 ml (14 oz) de lait entier de noix de coco**
- **150 ml (¼ chopine) de bouillon de poulet**
- **4 feuilles de lime kaffir**
- **10 ml (2 c. à thé) de sucre muscovado pâle**
- **10 ml (2 c. à thé) de sauce thaïe au poisson (nam pla)**
- **100 gr (3½ oz) de pois sugar snap**
- **100 gr (3½ oz) de haricots verts, coupés en deux**
- **1 petit bouquet de coriandre, pour garnir**
- **riz, pour servir**

Préchauffer la mijoteuse si nécessaire ; voir les instructions du manufacturier. Dans une poêle à frire, chauffer l'huile, ajouter la pâte de cari, la pâte galanga, et les piments verts, cuire 1 minute.

Incorporer l'oignon et le poulet et cuire, en brassant, jusqu'à ce que le poulet commence à dorer. Verser le lait de noix de coco et le bouillon, puis ajouter les feuilles de lime, le sucre, et la sauce thaïe au poisson. Porter à ébullition, en brassant.

Transférer le mélange dans le récipient de la mijoteuse, mettre le couvercle et cuire à température minimale 6 à 8 heures ou jusqu'à ce que le poulet soit tendre.

Ajouter les pois et les haricots et cuire à température maximale 15 minutes ou jusqu'à ce qu'ils soient tendres. Déchirer les feuilles de coriandre sur le dessus, et à l'aide d'une cuillère, mettre dans des plats et servir avec du riz.

On trouve facilement la pâte de cari vert thaï et la sauce thaïe au poisson dans les grands supermarchés. La pâte galanga, qui a un goût de gingembre, est vendue en petits pots, alors que l'on peut trouver les feuilles de lime kaffir séchées dans la même section.

PRÉPARATION **35 minutes**

TEMPÉRATURE **minimale**

TEMPS **8 — 10 heures**

PORTIONS **4 — 5**

Venaison en pâte feuilletée

25 g (1 oz) de beurre

15 ml (1 c. à soupe) d'huile d'olive

750 g 1½ lb) de venaison, coupée en dés

1 oignon, haché

30 ml (2 c. à soupe) de farine

200 ml (7 oz) de vin rouge

250 ml (8 oz) de bouillon d'agneau ou de bœuf

3 betteraves crues moyennes, pelées et coupées en dés de 1 cm (½ po)

15 ml (1 c. à soupe) de gelée de groseilles rouges à grappe

15 ml (1 c. à soupe) de purée de tomates

10 baies de genièvre, broyées grossièrement

3 brindilles de thym

1 feuille de laurier

pâte feuilletée, environ 200 g (7 oz), roulée

1 œuf battu, pour la glaçure

sel et poivre

panais et minicarottes rôties, pour servir

Pour obtenir un hachis parmentier gastronomique, vous pouvez recouvrir la venaison d'une purée de pommes de terre crémeuse assaisonnée d'ail, de raifort, et de ciboulette hachée.

Préchauffer la mijoteuse si nécessaire ; voir les instructions du manufacturier. Dans une poêle à frire, chauffer le beurre et l'huile, ajouter la venaison, quelques morceaux à la fois, jusqu'à ce que tous les morceaux soient ajoutés, puis cuire, en brassant, jusqu'à ce qu'ils soient dorés uniformément. À l'aide d'une cuillère à égoutter, transférer la venaison de la poêle au récipient de la mijoteuse.

Ajouter l'oignon au jus de la poêle et cuire 5 minutes jusqu'à ce qu'il ait ramolli. Incorporer la farine, puis mélanger le vin et le bouillon. Ajouter les betteraves, la gelée de groseilles, la purée de tomates, les baies de genièvre, deux brindilles de thym, et la feuille de laurier. Assaisonner d'un peu de sel et de poivre, et porter à ébullition.

Verser la sauce sur la venaison, mettre le couvercle et cuire à température minimale 8 à 10 heures.

Environ 30 minutes avant de servir, dérouler la feuille de pâte feuilletée, et la découper pour qu'elle s'adapte à la taille du récipient. Transférer sur une plaque à cuisson huilée et canneler le tour. Couper les feuilles qui proviennent des garnitures et les ajouter sur la pâte. Badigeonner avec l'œuf, saupoudrer avec les feuilles de thym restantes, retirées des tiges, et du gros sel, puis cuire 20 minutes dans un four préchauffé à 220 °C (425 °F), à l'indicatif 7 pour les cuisinières au gaz, jusqu'à ce que la pâte ait levé et soit dorée.

Remuer la venaison, et à l'aide d'une cuillère, verser dans des assiettes de service. Couper la pâte feuilletée en portions et placer sur le dessus de la venaison. Servir avec des panais et de minicarottes rôties.

PRÉPARATION **20 minutes**

TEMPÉRATURE **maximale**

TEMPS **1½ — 2 heures**

PORTIONS **4**

Ragoût de truite antillais

- **4 petites truites, éviscérées, la tête et les nageoires enlevées, et bien rincées à l'eau froide**
- **5 ml (1 c. à thé) de piment de la Jamaïque moulu**
- **5 ml (1 c. à thé) de paprika**
- **5 ml (1 c. à thé) de coriandre moulue**
- **30 ml (2 c. à soupe) d'huile d'olive**
- **6 ciboules, en tranches épaisses**
- **1 poivron rouge, étrogné, épépiné, et tranché finement**
- **2 tomates hachées grossièrement**
- **½ piment scotch bonnet ou autre piment rouge, épépiné et haché**
- **2 brindilles de thym**
- **300 ml (½ chopine) de fumet de poisson**
- **sel et poivre**
- **pain, pour servir (facultatif)**

Préchauffer la mijoteuse si nécessaire; voir les instructions du manufacturier. À l'aide d'un couteau aiguisé, faire deux ou trois entailles de chaque côté de la truite. Mélanger les épices avec un peu de sel et de poivre dans une assiette et enduire la truite, de chaque côté, du mélange d'épices.

Dans une poêle à frire, chauffer l'huile, ajouter la truite et cuire jusqu'à ce qu'elle soit dorée de chaque côté, mais non cuite complètement. Égoutter et déposer dans le récipient de la mijoteuse, le côté le plus mince en dessous, et tailler pour n'avoir qu'une seule couche.

Ajouter les ingrédients restants dans la poêle à frire avec toutes les épices restantes dans l'assiette, et porter à ébullition, en brassant. Verser sur la truite, puis mettre le couvercle et cuire à température maximale 1½ à 2 heures ou jusqu'à ce que le poisson se défasse lorsque pressé au centre avec un couteau.

À l'aide d'une pelle à poisson, lever délicatement le poisson du récipient et transférer dans des plats peu profonds. À l'aide d'une cuillère, verser la sauce et servir avec du pain chaud pour éponger la sauce, si désiré.

Le mélange d'épices utilisé dans cette recette est typique pour la cuisson du poisson aux Antilles et même si traditionnellement il est enveloppé dans du papier d'aluminium et cuit au barbecue, il goûte aussi bon préparé dans la mijoteuse.

PRÉPARATION **20 minutes**

TEMPÉRATURE **maximale**

TEMPS **5 — 6 heures**

PORTIONS **4**

Canard chinois

- **4 cuisses de canard, chacune d'environ 200 g (7 oz)**
- **1 oignon, tranché**
- **30 ml (2 c. à soupe) de farine**
- **450 ml (¾ chopine) de bouillon de poulet**
- **30 ml (2 c. à soupe) de sauce soja**
- **15 ml (1 c. à soupe) de vinaigre de vin rouge**
- **15 ml (1 c. à soupe) de miel clair**
- **10 ml (2 c. à thé) de purée de tomates**
- **10 ml (2 c. à thé) de sauce thaïe au poisson (nam plat)**
- **2,5 ml (½ c. à thé) de flocons de chile séchés et broyés**
- **2,5 ml (½ c. à thé) de piment de la Jamaïque moulu**
- **4 anis étoilés**
- **375 g (12 oz) de prunes rouges, dénoyautées et coupées en quartiers**
- **riz ou nouilles au gingembre, pour servir**

Préchauffer la mijoteuse si nécessaire; voir les instructions du manufacturier. Dans une poêle à frire, cuire à sec les cuisses de canard à feu doux jusqu'à ce que le gras apparaisse, puis augmenter la chaleur et dorer des deux côtés. À l'aide d'une cuillère à égoutter, transférer de la poêle au récipient de la mijoteuse.

Jeter tout le gras de canard de la poêle sauf 15 ml (1 c. à soupe), puis ajouter l'oignon et cuire, en brassant, 5 minutes ou jusqu'à ce qu'il commence à dorer. Incorporer la farine, puis graduellement mélanger le bouillon. Ajouter tous les ingrédients restants, sauf les prunes, et porter à ébullition, en brassant.

Verser la sauce sur le canard, ajouter les prunes et presser le canard sous la surface du liquide. Mettre le couvercle et cuire à température maximale 5 à 6 heures ou jusqu'à ce que le canard soit sur le point de se détacher des os. Servir avec du riz ou des nouilles au gingembre.

Pour préparer les nouilles au gingembre, dans un wok, chauffer 15 ml (1 c. à soupe) d'huile de sésame, ajouter une racine de gingembre frais, hachée finement de 2,5 cm (1 po), 200 g (7 oz) de pak-choï déchiqueté finement, 50 g (2 oz) de pois mange-tout coupés en deux, et 450 g (14½ oz) de nouilles asiatiques. Cuire 3 à 4 minutes.

PRÉPARATION **30 minutes**

TEMPÉRATURE **minimale**

TEMPS **1½ — 2 heures**

PORTIONS **4**

Morue enveloppée de saumon avec ses poireaux au beurre

2 longes de morue, environ 750 g (1½ lb) au total

jus de 1 citron

4 brindilles d'aneth, un peu plus pour garnir (facultatif)

4 tranches de saumon fumé, environ 75 g (6 oz) au total

1 poireau, tranché finement; les parties blanches et vertes séparées

60 ml (4 c. à soupe) de Noilly Prat ou de vin blanc sec

200 ml (7 oz) de fumet de poisson bouillant

10 ml (2 c. à thé) de câpres égouttées (facultatif)

75 g (3 oz) de beurre, en dés

30 ml (2 c. à soupe) de ciboulette ou de persil haché

sel et poivre

petites pommes de terre nouvelles, pour servir (facultatif)

Préchauffer la mijoteuse si nécessaire; voir les instructions du manufacturier. Couper chaque longe de morue pour avoir 4 portions, puis arroser de jus de citron et assaisonner de sel et de poivre. Ajouter 1 brindille d'aneth sur le dessus de chaque portion, puis envelopper avec 1 tranche de saumon fumé.

Mettre les parties blanches du poireau dans le fond du récipient de la mijoteuse, déposer le poisson en une seule couche, inclinant légèrement les morceaux pour leur donner un angle, si nécessaire, afin qu'ils entrent bien dans le récipient. Ajouter le Noilly Prat et le fumet chaud, puis mettre le couvercle et cuire à température minimale 1½ à 2 heures ou jusqu'à ce que le centre d'une des longes se défasse facilement lorsque pressée avec un couteau.

À l'aide d'une pelle à poisson, lever délicatement le poisson et déposer sur une assiette de service chaude. Couvrir de papier d'aluminium et garder au chaud. Dans une casserole, verser les parties blanches du poireau et le jus de cuisson du récipient de la mijoteuse, ajouter les parties vertes du poireau et les câpres (si utilisées) et bouillir rapidement environ 5 minutes jusqu'à ce que le liquide ait réduit à 60 à 90 ml (4 à 6 c. à soupe). À l'aide d'une cuillère, retirer les poireaux, aussitôt que les parties vertes auront ramolli.

Incorporer graduellement, en fouettant, le beurre un morceau à la fois jusqu'à ce qu'il ait fondu, et continuer jusqu'à ce que tout le beurre ait été ajouté et que la sauce soit homogène et luisante. Retourner les poireaux cuits dans la sauce avec les fines herbes hachées et vérifier l'assaisonnement.

Disposer le poisson au centre de quatre assiettes de service, puis à l'aide d'une cuillère, verser la sauce tout autour. Garnir de brindilles d'aneth et servir avec des petites pommes de terre nouvelles, dans un bol séparé, si désiré.

PRÉPARATION **25 minutes**

TEMPÉRATURE **maximale**

TEMPS **7 — 8 heures**

PORTIONS **4**

Agneau à la menthe
avec couscous à la betterave

15 ml (1 c. à soupe) d'huile d'olive

½ épaule d'agneau, 900 g à 1 kg (1 lb 14 oz à 2 lb)

1 oignon, tranché

2 gousses d'ail, hachées finement

30 ml (2 c. à soupe) de farine

45 ml (3 c. à soupe) de gelée de menthe

150 ml (¼ chopine) de vin rouge

300 ml (½ chopine) de bouillon d'agneau

sel et poivre

COUSCOUS AUX FINES HERBES

200 g (7 oz) de couscous

150 g (5 oz) de betteraves cuites, pelées et coupées en dés

400 ml (14 oz) d'eau bouillante

zeste râpé et jus de 1 citron

30 ml (2 c. à soupe) d'huile d'olive

1 petit bouquet de persil, haché finement

1 petit bouquet de menthe, haché finement

Préchauffer la mijoteuse si nécessaire; voir les instructions du manufacturier. Dans une poêle à frire, chauffer l'huile, ajouter l'agneau et cuire des deux côtés jusqu'à ce qu'il soit doré. À l'aide de deux cuillères à égoutter, transférer l'agneau dans le récipient de la mijoteuse. Frire l'oignon, en brassant, 5 minutes ou jusqu'à ce qu'il ait ramolli et commence à être doré.

Incorporer l'ail et la farine. Ajouter la gelée de menthe et le vin, et mélanger jusqu'à ce que le tout soit homogène. Verser le bouillon, assaisonner de sel et de poivre et porter à ébullition, en brassant. Verser la sauce sur l'agneau, mettre le couvercle et cuire à température maximale 7 à 8 heures ou jusqu'à ce que l'agneau soit sur le point de se détacher des os.

Presque au moment de servir, mettre le couscous et les betteraves dans un bol, verser l'eau bouillante, puis ajouter le zeste et le jus de citron, l'huile et un peu de sel et de poivre. Couvrir avec une assiette et laisser reposer 5 minutes.

Ajouter les fines herbes au couscous et bien aérer les grains à l'aide d'une fourchette, puis à l'aide d'une cuillère, déposer le couscous dans les assiettes. Transférer l'agneau dans un plat de service et le découper en gros morceaux, en jetant l'os. Déposer dans les assiettes et servir avec une sauce dans un pot séparé.

PRÉPARATION **15 minutes**

TEMPÉRATURE **maximale**

TEMPS **3 — 4 heures**

PORTIONS **4**

Poulet à l'estragon

- **15 ml (1 c. à soupe) d'huile d'olive**
- **15 g (½ oz) de beurre**
- **4 poitrines de poulet désossées, la peau enlevée, environ 650 g (1 lb 6 oz) au total**
- **200 g (7 oz) d'échalotes coupées en 2**
- **15 ml (1 c. à soupe) de farine**
- **300 ml (½ chopine) de bouillon de poulet**
- **60 ml (4 c. à soupe) de vermouth sec**
- **2 brindilles d'estragon, un peu plus pour servir**
- **45 ml (3 c. à soupe) de double-crème**
- **30 ml (2 c. à soupe) de ciboulette hachée**
- **sel et poivre**
- **purée grossière de pommes de terre mélangée avec des pois, pour servir (facultatif)**

Préchauffer la mijoteuse si nécessaire ; voir les instructions du manufacturier. Dans une poêle à frire, chauffer l'huile et le beurre, ajouter le poulet et cuire à feu élevé, jusqu'à ce qu'il soit doré des deux côtés, mais non cuit complètement. Égoutter et déposer dans le récipient de la mijoteuse en une seule couche.

Dans la poêle à frire, ajouter les échalotes, et cuire, en brassant, 4 à 5 minutes ou jusqu'à ce qu'elles commencent à dorer. Incorporer la farine, puis mélanger graduellement le bouillon et le vermouth. Ajouter les brindilles d'estragon, un peu de sel et de poivre, et porter à ébullition, en brassant.

Verser la sauce sur le poulet, mettre le couvercle et cuire à température maximale 3 à 4 heures ou jusqu'à ce que le poulet soit bien cuit.

Verser la double-crème dans la sauce et brasser, puis saupoudrer 15 ml (1 c. à soupe) d'estragon et de ciboulette hachés. Servir avec une purée grossière de pommes de terre mélangée avec des pois.

Voici une bonne recette de base que vous pouvez adapter selon ce qu'il y a dans votre réfrigérateur. Vous pouvez substituer 1 oignon haché ou 4 ciboules aux échalotes et du xérès ou du vin pour le vermouth. Essayez du pesto ou 5 ml (1 c. à thé) de moutarde de Dijon au lieu de l'estragon.

PRÉPARATION **20 minutes**

TEMPÉRATURE **maximale**

TEMPS **7 — 9 heures**

PORTIONS **4**

Porc braisé lentement avec ratatouille

15 ml (1 c. à soupe) d'huile d'olive
1 oignon, haché
1 poivron rouge, étrogné, épépiné, et coupé en morceaux
1 poivron jaune, étrogné, épépiné, et coupé en morceaux
375 g (12 oz) de courgette, coupée en morceaux
2 gousses d'ail, hachées finement
1 boîte de 400 g (13 oz) de tomates broyées
150 m l (¼ chopine) de vin rouge ou de bouillon de poulet
15 ml (1 c. à soupe) de farine de maïs
2 à 3 brindilles de romarin, les feuilles enlevées des tiges
875 g (1¾ lb) de poitrine de porc fumée, le bout épais, la couenne et toute corde enlevée
sel et poivre
purée de pommes de terre, pour servir

Préchauffer la mijoteuse si nécessaire ; voir les instructions du manufacturier. Dans une poêle à frire, chauffer l'huile, ajouter l'oignon et cuire, en brassant, 5 minutes ou jusqu'à ce qu'il commence à dorer.

Ajouter les poivrons, les courgettes, et l'ail, et cuire 2 minutes, puis incorporer les tomates, le vin ou le bouillon. Mélanger la farine de maïs avec un peu d'eau jusqu'à obtention d'une pâte homogène, puis incorporer à la casserole avec les feuilles de romarin et un peu de sel et de poivre. Porter à ébullition, en brassant.

Verser la moitié du mélange dans le récipient de la mijoteuse, ajouter la poitrine fumée déroulée et couvrir du mélange restant de légumes. Mettre le couvercle et cuire à température maximale 7 à 9 heures ou jusqu'à ce que le porc se défasse.

Si vous aimez une sauce plus épaisse, à l'aide d'une louche, prendre les jus du récipient de la mijoteuse et verser dans une casserole, puis bouillir 5 minutes pour réduire. Couper le porc en 4 portions et déposer dans des plats peu profonds et servir avec une purée de pommes de terre et de la sauce aux tomates.

Vous pouvez vous procurer la poitrine de porc fumée en un seul morceau dans la plupart des supermarchés, mais il est préférable d'acheter cette coupe de votre boucher. Rappelez-vous de demander la partie la plus « épaisse » de la poitrine, car elle sera plus maigre et bien garnie.

PRÉPARATION **15 minutes**

TEMPÉRATURE **minimale**

TEMPS **8 — 10 heures**

PORTIONS **4**

Rogan josh

25 g (1 oz) de beurre

750 g (1½ lb) de filet d'agneau

2 oignons, hachés

3 gousses d'ail, hachées finement

1 racine de gingembre de 2,5 cm (1 po), pelée et hachée finement

5 ml (1 c. à thé) de curcuma moulu

10 ml (2 c. à thé) de coriandre moulue

10 ml (2 c. à thé) de graines de cumin, broyées grossièrement

10 ml (2 c. à thé) de garam masala

2,5 ml (½ c. à thé) de flocons de chile broyés et séchés

30 ml (2 c. à soupe) de farine

1 boîte de 400 g (13 oz) de tomates broyées

300 ml (½ chopine) de bouillon d'agneau

60 ml (4 c. à soupe) de double-crème

POUR GARNIR

1 petit bouquet de coriandre, les feuilles déchirées

1 oignon rouge, tranché finement

POUR SERVIR

Riz pilaf

pain nan

Préchauffer la mijoteuse si nécessaire ; voir les instructions du manufacturier. Dans une poêle à frire, chauffer le beurre, ajouter l'agneau, quelques morceaux à la fois, jusqu'à ce que toute la viande soit dans la casserole puis cuire à feu élevé, en brassant, jusqu'à ce que ce soit doré. À l'aide d'une cuillère à égoutter, enlever l'agneau de la casserole et transférer dans le récipient de la mijoteuse.

Dans la casserole, ajouter les oignons, et cuire, en brassant, 5 minutes ou jusqu'à ce qu'ils aient ramolli et commencent à dorer. Incorporer l'ail, le gingembre, les épices et les flocons de chile, et cuire 1 minute. Ajouter la farine puis les tomates et le bouillon. Porter à ébullition, en brassant.

Verser le mélange de tomates sur l'agneau, mettre le couvercle et cuire à température minimale 8 à 10 heures ou jusqu'à ce que l'agneau soit tendre. Incorporer la crème, en brassant, garnir avec les feuilles de coriandre déchirée et l'oignon rouge, servir avec du riz pilaf et du pain nan.

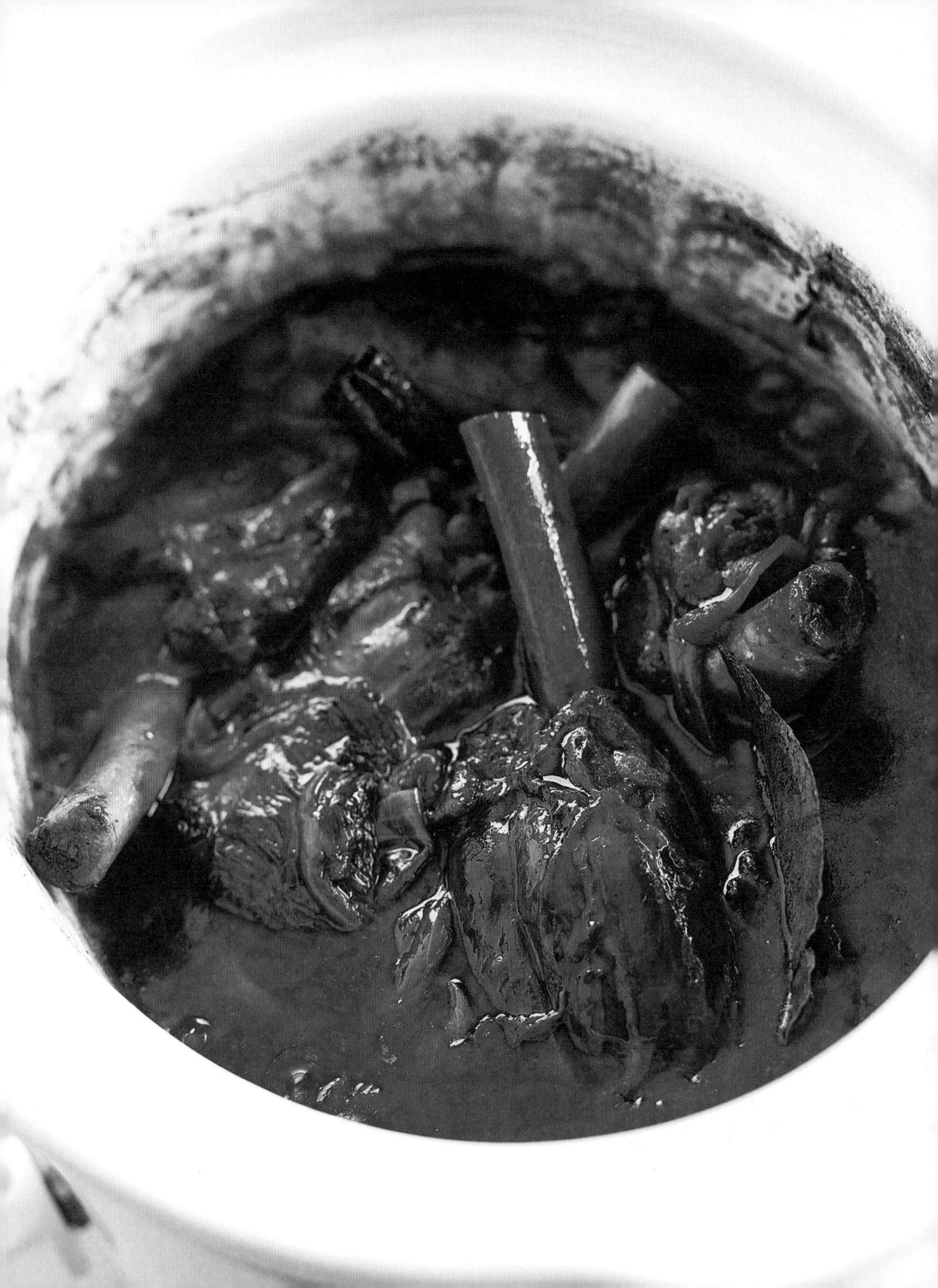

PRÉPARATION **15 minutes**

TEMPÉRATURE **maximale**

TEMPS **5 — 7 heures**

PORTIONS **4**

Jarret d'agneau aux baies de genièvre

25 g (1 oz) de beurre

4 jarrets d'agneau, environ 1,5 kg (3 lb) au total

2 petits oignons rouges, coupés en quartiers

30 ml (2 c. à soupe) de farine

200 ml (7 oz) de vin rouge

450 ml (¾ chopine) de bouillon d'agneau

30 ml (2 c. à soupe) de sauce de canneberges (facultatif)

15 ml (1 c. à soupe) de purée de tomates

2 feuilles de laurier

5 ml (1 c. à thé) de baies de genièvre, broyées grossièrement

1 petit bâton de cannelle, coupé en 2

zeste de 1 petite orange

sel et poivre

POUR SERVIR

Purée de patates douces

Haricots verts

Préchauffer la mijoteuse si nécessaire ; voir les instructions du manufacturier. Dans une poêle à frire, chauffer le beurre, ajouter les jarrets d'agneau, et cuire à feu moyen, en tournant pour qu'ils dorent de tous les côtés. Égoutter et mettre dans le récipient de la mijoteuse.

Dans la poêle, ajouter les oignons et cuire 4 à 5 minutes ou jusqu'à ce qu'ils commencent à dorer. Incorporer la farine. Ajouter graduellement le vin et le bouillon, puis ajouter la sauce aux canneberges (si utilisée) et les ingrédients restants. Porter à ébullition, en brassant.

Transférer le mélange dans le récipient de la mijoteuse, mettre le couvercle et cuire à température maximale 5 à 7 heures ou jusqu'à ce que l'agneau commence à se détacher.

Si vous aimez les sauces épaisses, verser la sauce dans une casserole et bouillir rapidement 5 minutes ou jusqu'à ce qu'elle ait réduit du tiers. Servir l'agneau avec la purée de patates douces et les haricots verts.

La mijoteuse vous permet de bien planifier. Vous pouvez cuire et réfrigérer un dessert de style crème anglaise ou une compote de fruits ou bien préparer un pouding chaud à l'avance et ensuite vous détendre. Il n'y a pas de conséquence si le repas principal dure plus longtemps que prévu — servez votre dessert lorsque vous serez prêt, tout simplement.

PRÉPARATION **20 minutes**

TEMPÉRATURE **minimale**

TEMPS **3 — 4 heures**

PORTIONS **4**

Poires au safran avec sauce au chocolat

300 ml (½ chopine) de jus de pomme naturel

45 ml (3 c. à soupe) de sucre semoule

grosse pincée de safran

4 gousses de cardamome, broyées grossièrement

4 poires fermes et mûres

SAUCE AU CHOCOLAT

60 ml (4 c. à soupe) de tartinade de chocolat aux noisettes

30 ml (2 c. à soupe) de double-crème

30 ml (2 c. à soupe) de lait

Préchauffer la mijoteuse si nécessaire ; voir les instructions du manufacturier. Dans une petite casserole, verser le jus de pommes, ajouter le sucre, le safran et les gousses de cardamome avec leurs petites graines noires. Porter à ébullition, puis verser dans le récipient de la mijoteuse.

Couper chaque poire en deux sur la longueur, laissant la queue, puis peler. À l'aide d'une cuillère parisienne ou d'une petite cuillère, enlever le cœur. Ajouter les poires au récipient, les pressant le plus possible sous la surface du liquide. Mettre le couvercle et cuire à température minimale 3 à 4 heures ou jusqu'à ce que les poires soient tendres et jaune pâle.

Presque au moment de servir, mettre tous les ingrédients de la sauce au chocolat dans une petite casserole et chauffer ensemble, en brassant, jusqu'à ce que la sauce soit homogène. À l'aide d'une cuillère, déposer les poires et un peu de sauce au safran dans des plats peu profonds, puis verser la sauce au chocolat dans de petits pots et laisser les invités arroser les poires de sauce juste avant de les déguster.

PRÉPARATION **20 minutes**

TEMPÉRATURE **maximale**

TEMPS **1¼ — 1½ heure**

PORTIONS **4**

Pouding au chocolat

125 g (4 oz) de chocolat noir, plus 8 petits carrés additionnels

75 g (3 oz) de beurre

2 œufs

2 jaunes d'œufs

75 g (3 oz) de sucre semoule

2,5 ml (½ c. à thé) d'essence de vanille

40 g (1½ oz) de farine

sucre à glacer tamisé, pour décorer

POUR SERVIR

Guimauves miniatures

Crème glacée à la vanille ou crème fraîche

Préchauffer la mijoteuse si nécessaire ; voir les instructions du manufacturier. Briser 125 g (4 oz) de chocolat en morceaux, mettre dans une casserole avec le beurre et chauffer à feu doux, en brassant occasionnellement, jusqu'à ce qu'il ait fondu. Retirer du feu et réserver.

Dans un grand bol, à l'aide d'un batteur électrique, fouetter ensemble les œufs entiers, les jaunes d'œufs, le sucre, et l'essence de vanille 3 à 4 minutes ou jusqu'à ce que le mélange soit léger et mousseux. Ajouter, en fouettant graduellement, le mélange de chocolat fondu.

Tamiser la farine dans le mélange de chocolat et plier. Verser dans 4 moules individuels de 250 ml (8 oz) en métal pour pouding, beurrés et le fond tapissé. Presser 2 carrés de chocolat dans le centre de chacun, puis couvrir lâchement d'un carré de papier d'aluminium beurré.

Transférer les moules dans le récipient de la mijoteuse et verser de l'eau bouillante jusqu'à la moitié des moules. Mettre le couvercle et cuire à température maximale 1¼ à 1½ heure jusqu'à ce qu'ils aient bien levé et que le dessus reprenne sa forme lorsque pressé légèrement.

À l'aide d'un couteau, décoller les poudings, renverser dans des plats de service peu profonds et retirer le papier. Saupoudrer de sucre à glacer tamisé et servir avec des guimauves et des cuillérées de crème glacée à la vanille ou de la crème fraîche.

PRÉPARATION **20 minutes, plus le temps de refroidissement**

TEMPÉRATURE **minimale**

TEMPS **2½ — 3½ heures**

PORTIONS **4**

Crèmes caramel

beurre pour graisser
125 g (4 oz) de sucre cristallisé
125 ml (4 oz) d'eau
30 ml (2 c. à soupe) d'eau bouillante
2 œufs
3 jaunes d'œufs
1 boîte de 400 g (13 oz) de lait concentré complet
125 ml (4 oz) de lait 2 % de M.G.
zeste râpé de ½ petit citron

Préchauffer la mijoteuse si nécessaire ; voir les instructions du manufacturier. Graisser légèrement 4 moules individuels à pouding en métal de 250 ml (8 oz). Dans une petite casserole, verser le sucre et l'eau et chauffer à feu doux, en brassant occasionnellement jusqu'à ce que le sucre soit complément dissous.

Augmenter la chaleur et bouillir le sirop 5 minutes, sans brasser, jusqu'à ce qu'il soit doré, tout en surveillant bien. Retirer la casserole de la chaleur, ajouter l'eau bouillante, et l'éloigner de la chaleur. Incliner la casserole pour mélanger et lorsqu'il n'y a plus de bulle, verser la sauce caramel dans les moules à pouding, en les inclinant pour que le sirop tapisse le fond et les parois.

Dans un bol, mettre les œufs et les jaunes d'œufs et à l'aide d'une fourchette, fouetter ensemble. Dans une casserole, verser le lait concentré et le lait frais, porter à ébullition, puis ajouter graduellement le mélange d'œufs jusqu'à ce que le tout soit homogène. Passer le mélange dans la casserole, puis ajouter le zeste de citron, en brassant.

Verser la crème dans des moules à pouding tapissés de sirop et transférer les moules dans le récipient de la mijoteuse. Couvrir le dessus de chaque moule avec un carré de papier d'aluminium. Verser l'eau chaude autour des moules jusqu'à ce que l'eau atteigne la moitié, puis mettre le couvercle et cuire à température minimale 2½ à 3½ heures ou jusqu'à ce que la crème soit ferme et tremblote un peu au centre.

À l'aide d'un linge à vaisselle, retirer les moules du récipient de la mijoteuse, laisser refroidir, puis les transférer au réfrigérateur 3 à 4 heures ou toute la nuit pour refroidir.

Pour servir, tremper la base des moules 10 secondes dans l'eau bouillante, et décoller le dessus de la crème avec le bout du doigt, puis les renverser sur une assiette avec rebord.

Si vous n'avez jamais fait de sauce caramel auparavant, résistez à l'envie de brasser lorsqu'elle bouille ou bien la sauce pourrait se cristalliser avant de dorer.

PRÉPARATION **30 minutes, plus temps de refroidissement**

TEMPÉRATURE **maximale**

TEMPS **2 —2½ heures**

PORTIONS **4 — 5**

Gâteau au fromage garni de fraises

4 morceaux de gâteau éponge pour bagatelle

300 g (10 oz) de fromage à la crème riche en matières grasses

75 g (3 oz) de sucre semoule

150 ml (¼ chopine) de double-crème

3 œufs

zeste râpé et jus de ½ citron

GARNITURE

30 ml (2 c. à soupe) de confiture de fraises

15 ml (1 c. à soupe) de jus de citron

200 g (7 oz) de fraises, équeutées et tranchées

Préchauffer la mijoteuse si nécessaire; voir les instructions du manufacturier. Tapisser le fond et les parois d'un moule à soufflé de 14 cm (5½ po) de diamètre et 9 cm (3½ po) de hauteur avec du papier parchemin. Déposer les morceaux de gâteau éponge dans le fond du moule, les découper pour avoir une seule couche uniforme.

Dans un bol, mettre le fromage à la crème et le sucre, puis verser la double-crème peu à peu, en fouettant, jusqu'à de que le tout soit lisse et épais. En fouettant continuellement, incorporer graduellement les œufs, un à la fois, puis ajouter les œufs et le zeste de citron en brassant.

Verser le mélange de fromage à la crème dans le plat préparé et égaliser la surface. Couvrir lâchement le plat avec du papier d'aluminium graissé et à l'aide de lanières en aluminium, descendre dans le récipient de la mijoteuse (voir page 17). Verser l'eau bouillante dans le récipient jusqu'à la moitié du plat.

Mettre le couvercle et cuire à température maximale 2 à 2½ heures jusqu'à ce que le gâteau au fromage ait gonflé, soit bien levé et qu'il soit légèrement ferme au centre. Retirer le plat du récipient puis laisser refroidir et raffermir. Le gâteau au fromage s'affaissera rapidement et reprendra la forme qu'il avait avant la cuisson lorsqu'il refroidira. Lorsqu'il sera froid, transférer au réfrigérateur 4 heures ou toute la nuit.

Au moment de servir, à l'aide d'un couteau à lame ronde, détacher les parois du gâteau, renverser, enlever le papier et retourner à nouveau. Mettre dans une assiette de service. Dans un bol, mélanger la confiture et le jus de citron jusqu'à consistance homogène, ajouter les tranches de fraises et remuer. À l'aide d'une cuillère, mettre la garniture sur le dessus du gâteau au fromage et servir immédiatement.

Choisissez les fruits de saison. Nous utilisons les tranches de fraises, mais vous pouvez utiliser des baies mélangées, des pêches tranchées ou des framboises si désiré.

PRÉPARATION **10 minutes**

TEMPÉRATURE **minimale**

TEMPS 2½ — **3 heures**

PORTIONS **4**

Pouding au riz sucré au miel

beurre pour graisser
750 ml (1¼ chopine) de lait Jersey complet
45 ml (3 c. à soupe) de miel ferme
125 g (4 oz) de risotto

POUR SERVIR
confiture
crème épaisse

Préchauffer la mijoteuse si nécessaire ; voir les instructions du manufacturier. Beurrer légèrement l'intérieur du récipient de la mijoteuse.

Dans une casserole, verser le lait, ajouter le miel et porter juste au point d'ébullition, en brassant, jusqu'à ce que le miel ait fondu. Verser dans le récipient de la mijoteuse, ajouter le riz et remuer légèrement.

Mettre le couvercle et cuire à température minimale 2½ à 3 heures en ne brassant qu'une seule fois durant la cuisson ou jusqu'à ce que le pouding ait épaissi et que le riz soit tendre. Remuer à nouveau avant de verser dans les plats, et servir recouvert de cuillérées de confiture (ou de conserve d'abricots à la page 224) et de crème épaisse.

PRÉPARATION **20 minutes**

TEMPÉRATURE **minimale**

TEMPS **3 — 4 heures**

PORTIONS **4**

Pommes farcies aux dattes

- **50 g (2 oz) de beurre à la température ambiante**
- **50 g (2 oz) de sucre muscovado pâle**
- **2,5 ml (½ c. à thé) de cannelle moulue**
- **zeste râpé de ½ petite orange**
- **15 ml (1 c. à soupe) de racine de gingembre, confite ou égouttée, finement hachée,**
- **50 g (2 oz) de dattes dénoyautées, déjà hachées**
- **4 grosses pommes fermes, comme les Braeburn**
- **150 ml (¼ chopine) de jus de pommes nature**
- **crème anglaise ou crème pour servir**

Préchauffer la mijoteuse si nécessaire ; voir les instructions du manufacturier. Mélanger ensemble le beurre, le sucre, la cannelle et le zeste d'orange jusqu'à ce que le tout soit homogène, puis incorporer, en remuant, le gingembre haché et les dattes.

Couper une mince tranche du dessous de chaque pomme, si nécessaire, pour qu'elle ne roule pas, puis couper une tranche épaisse du dessus, et réserver. À l'aide d'un petit couteau, étrogner les pommes pour laisser une cavité afin de déposer la farce.

Diviser le mélange de dattes en quatre et presser une portion dans la cavité de chaque pomme, et l'étendre sur le dessus de chacune s'il en reste. Replacer la tranche épaisse sur les pommes et déposer dans le récipient de la mijoteuse. Verser le jus de pommes dans le fond du récipient, mettre le couvercle et cuire à température minimale 3 à 4 heures ou jusqu'à ce que les pommes soient tendres.

Retirer délicatement les pommes de la mijoteuse et servir dans des plats peu profonds, arrosées de sauce et d'un peu de crème anglaise chaude ou de crème.

PRÉPARATION **20 minutes**

TEMPÉRATURE **maximale**

TEMPS **3 — 3½ heures**

PORTIONS **4 — 5**

Pouding avec sirop de marmelade collant

60 ml (4 c. à soupe) de sirop de maïs

45 ml (3 c. à soupe) de marmelade d'oranges

175 g (6 oz) de farine préparée pour gâteaux et pâtisseries

75 g (3 oz) de graisse végétale

50 g (2 oz) de sucre muscovado pâle

5 ml (1 c. à thé) de gingembre moulu

zeste râpé et jus de 1 orange

2 œufs

30 ml (2 c. à soupe) de lait

crème anglaise ou crème glacée à la vanille pour servir

Préchauffer la mijoteuse si nécessaire ; voir les instructions du manufacturier. Graisser légèrement une bassine à pouding de 1,2 l (2 chopines) (vérifier tout d'abord si elle s'ajuste dans le récipient de la mijoteuse) et tapisser le fond d'un cercle de papier parchemin. À l'aide d'une cuillère, verser le sirop de maïs et 30 ml (2 c. à soupe) de marmelade dans le récipient.

Dans un bol, mettre la farine, la graisse végétale, le sucre et le gingembre, mélanger ensemble. Ajouter la marmelade restante, le jus et le zeste d'orange, les œufs et le lait, battre jusqu'à ce que le tout soit homogène.

À l'aide d'une cuillère, verser le mélange dans la bassine à pouding, égaliser la surface et couvrir le dessus d'un morceau de papier d'aluminium graissé. À l'aide de cordes ou de lanières d'aluminium (voir page 17) abaisser la bassine dans le récipient de la mijoteuse. Verser l'eau bouillante dans le récipient jusqu'à la moitié de la bassine.

Mettre le couvercle et cuire à température maximale 3 à 3½ heures ou jusqu'à ce que le pouding soit bien levé et semble ferme et sec lorsque pressé avec les doigts.

À l'aide de gants de cuisinier, retirer la bassine de la mijoteuse, enlever le papier d'aluminium, et à l'aide d'un couteau à lame ronde, détacher les bords du pouding. Renverser la bassine dans une assiette, enlever la bassine et le papier. Servir des cuillérées de pouding avec de la crème anglaise ou de la crème glacée à la vanille.

Ce pouding est délicieux servi arrosé de crème anglaise fraîche ou en conserve, spécialement s'il est aromatisé avec quelques cuillérées à soupe de xérès, de Grand Marnier ou de Cointreau.

PRÉPARATION **25 minutes**

TEMPÉRATURE **maximale**

TEMPS **4½ — 5 heures**

PORTIONS **6**

Gâteau au gingembre jamaïcain glacé

100 g (3½ oz) de beurre, un peu plus pour graisser

100 g (3½ oz) de sucre muscovado foncé

100 g (3½ oz) de sirop de maïs

100 g (3½ oz) de dattes dénoyautées déjà hachées

100 g (3½ oz) de farine complète

100 g (3½ oz) de farine préparée pour gâteaux et pâtisseries

2,5 ml (½ c. à thé) de bicarbonate de soude

10 ml (2 c. à thé) de gingembre moulu

3 morceaux de racine de gingembre, égouttés, 2 hachés et 1 coupé en lanières

2 œufs, battus

100 g (3½ oz) de lait

125 g (4 oz) de sucre à glacer, tamisé

15 à 17,5 ml (3 à 3½ c. à thé) d'eau

Préchauffer la mijoteuse si nécessaire ; voir les instructions du manufacturier. Graisser un moule à soufflé de 14 cm (5½ po) de diamètre et 9 cm (3½ po) de hauteur et tapisser avec un cercle de papier parchemin.

Dans une casserole, mettre le beurre mesuré, le sucre, le sirop et les dattes, et chauffer à feu doux, en brassant, jusqu'à ce que le beurre et le sucre aient fondu. Retirer la casserole du feu, ajouter les farines, le bicarbonate de soude, le gingembre haché et moulu, les œufs et le lait, et battre jusqu'à ce que le tout soit homogène. Verser dans le plat tapissé et couvrir lâchement de papier d'aluminium graissé.

À l'aide de lanières d'aluminium (voir page 17) ou d'une corde attachée au rebord supérieur du plat, abaisser le plat délicatement dans le récipient de la mijoteuse. Verser l'eau bouillante dans le récipient jusqu'à la moitié du plat, mettre le couvercle et cuire à température maximale 4½ à 5 heures ou jusqu'à ce qu'un cure-dents inséré au centre du gâteau en ressorte propre.

Retirer le plat de la mijoteuse, laisser reposer 10 minutes, puis enlever le papier d'aluminium, et à l'aide d'un couteau à lame ronde, détacher les bords du gâteau. Renverser le gâteau sur une grille, enlever le papier du dessous et laisser refroidir.

Dans un bol, tamiser le sucre à glacer, et mélanger avec assez d'eau pour obtenir un glaçage lisse et épais. À l'aide d'une cuillère, verser sur le dessus du gâteau, puis décorer avec les lanières de gingembre. Laisser raffermir. Couper le gâteau en pointes pour servir.

PRÉPARATION **30 minutes, plus temps de refroidissement**

TEMPÉRATURE **minimale**

TEMPS **2½ — 3½ heures**

PORTIONS **4**

Crème brûlée à la menthe poivrée avec framboises

Crème brûlée à la menthe poivrée avec framboises

4 jaunes d'œufs

40 g (1½ oz) de sucre semoule

400 ml (14 oz) de double-crème

1,2 ml (¼ c. à thé) d'essence de menthe

150 g (5 oz) de framboises

30 ml (2 c. à soupe) de sucre à glacer

feuilles de menthe, pour décorer (facultatif)

Préchauffer la mijoteuse si nécessaire ; voir les instructions du manufacturier. Dans un bol, fouetter les jaunes d'œufs et le sucre 3 à 4 minutes jusqu'à ce qu'ils soient mousseux, puis ajouter graduellement la double-crème tout en fouettant.

Incorporer l'essence de menthe, puis tamiser la crème aux œufs dans un pot. Verser dans 4 ramequins de 150 ml (¼ chopine).

Mettre les ramequins dans le récipient de la mijoteuse, verser l'eau chaude jusqu'à la moitié des ramequins, puis couvrir lâchement le dessus de chaque ramequin de papier d'aluminium. Cuire à température minimale 2½ à 3½ heures ou jusqu'à ce que la crème soit ferme, mais qu'elle tremblote au centre.

Lever délicatement les plats de la mijoteuse, laisser refroidir puis transférer au réfrigérateur 4 heures pour refroidir.

Lorsque prête à servir, déposer quelques framboises au centre de chacune. Caraméliser le sucre avec un petit chalumeau de chef et décorer avec quelques petites feuilles de menthe, si désiré.

Si vous n'avez pas de petit chalumeau de chef, mettez les ramequins sous le gril préchauffé de la cuisinière. Ne mettez pas les framboises, saupoudrez chaque plat de sucre et déposez-les dans un plat à rôtir avec de la glace pour que les crèmes restent froides alors que le dessus recouvert de sucre fonde et se caramélise.

PRÉPARATION **20 minutes**

TEMPÉRATURE **maximale**

TEMPS **2 —2½ heures**

PORTIONS **4**

Poudings renversés à l'ananas

Poudings renversés à l'ananas

beurre pour graisser

60 ml (4 c. à soupe) de sirop de maïs

30 ml (2 c. à soupe) de sucre muscovado pâle

1 boîte de 225 g 97½ oz) de rondelles d'ananas, égouttées et hachées

40 g (1½ oz) de cerises confites, hachées grossièrement

crème anglaise, pour servir (facultatif)

POUDING ÉPONGE

50 g (2 oz) de beurre à la température ambiante ou de margarine molle

50 g (2 oz) de sucre semoule

50 g (2 oz) de farine préparée pour gâteaux et pâtisseries

25 g (1 oz) de noix de coco séchée

1 œuf

15 ml (1 c. à soupe) de lait

Préchauffer la mijoteuse si nécessaire ; voir les instructions du manufacturier. Graisser légèrement 4 moules individuels à pouding en métal de 250 ml (8 oz) et tapisser le fond d'un cercle de papier parchemin. Ajouter 15 ml (1 c. à soupe) de sirop de maïs et 7,5 ml (½ c. à soupe) de sucre dans le fond de chaque moule, puis ajouter le trois-quart des ananas et toutes les cerises.

Préparation du pouding éponge. Dans un bol, mettre tous les ingrédients du pouding éponge et les ananas restants, battre ensemble jusqu'à ce que le tout soit homogène. À l'aide d'une cuillère, verser le mélange dans les moules à pouding. À l'aide du dos d'une petite cuillère, égaliser la surface, puis couvrir lâchement le dessus de chaque moule de papier d'aluminium beurré.

Déposer les moules dans le récipient de la mijoteuse, puis verser de l'eau bouillante jusqu'à la moitié des moules. Mettre le couvercle et cuire à température maximale 2 à 2½ heures ou jusqu'à ce que le pouding éponge ait bien levé et reprenne sa forme lorsque pressé avec le bout des doigts.

Enlever le papier d'aluminium, à l'aide d'un couteau à lame ronde, détacher les bords des poudings et renverser dans des bols peu profonds. Retirer le papier du dessous et servir avec de la crème anglaise froide, si désiré.

Déposez quelques cuillérées à soupe de votre garniture à tarte aux fruits en conserve préférée au fond du moule, ajoutez du zeste d'orange râpé au pouding éponge au lieu des ananas.

PRÉPARATION **15 minutes**

TEMPÉRATURE **minimale**

TEMPS **3 — 3 heures**

PORTIONS **4**

Pouding chaud à l'orange

8 clémentines
50 g (2 oz) de miel
75 g (3 oz) de sucre muscovado pâle
zeste râpé et jus de ½ citron
60 ml (4 c. à soupe) de whisky
300 ml (½ chopine) d'eau bouillante
15 g (½ oz) de beurre
crème glacée, pour servir

Préchauffer la mijoteuse si nécessaire ; voir les instructions du manufacturier. Peler les clémentines et les laisser entières.

Placer les ingrédients restants dans le récipient de la mijoteuse et mélanger ensemble. Ajouter les oranges. Mettre le couvercle et cuire à température minimale 2 à 3 heures jusqu'à ce que le tout soit très chaud.

À l'aide d'une cuillère, déposer dans des plats peu profonds et servir avec des cuillérées de crème glacée à la vanille fondante.

Ce pouding d'hiver réconfortant peut également être préparé avec 4 grosses oranges au lieu de clémentines. Pelez et coupez en tranches horizontales ou en segments si désiré.

PRÉPARATION **25 minutes**

TEMPÉRATURE **maximale**

TEMPS **4½ — 5 heures**

PORTIONS **6 — 8**

Gâteau au citron et aux graines de pavot arrosé de sirop

125 g (4 oz) de beurre à la température ambiante, un peu plus pour graisser

125 g (4 oz) de sucre semoule

2 œufs, battus

125 g (4 oz) de farine préparée pour gâteaux et pâtisseries 30 ml (2 c. à soupe) de graines de pavot

zeste râpé de 1 citron

crème fraîche, pour servir

cannelures de citron, pour décorer

SIROP DE CITRON

Jus de 1½ citron

125 g (4 oz) de sucre semoule

Préchauffer la mijoteuse si nécessaire ; voir les instructions du manufacturier. Graisser légèrement un moule à soufflé de 14 cm (5½ po) de diamètre et 9 cm (3½ po) de hauteur et tapisser le fond d'un cercle de papier parchemin.

Dans un bol, à l'aide d'une cuillère en bois ou d'un mélangeur électrique à main, défaire en crème le beurre mesuré et le sucre. Mélanger graduellement, en alternant, des cuillérées d'œufs battus et de farine, et continuer en ajoutant et fouettant jusqu'à ce que le mélange soit homogène. Incorporer les graines de pavot et le zeste de citron, puis à l'aide d'une cuillère, verser le mélange dans le moule à soufflé et égaliser la surface. Couvrir lâchement le moule de papier d'aluminium graissé, puis à l'aide de lanières en aluminium (voir page 17), descendre le moule dans le récipient de la mijoteuse.

Verser l'eau bouillante dans le récipient jusqu'à la moitié du moule. Mettre le couvercle et cuire à température maximale 4½ à 5 heures ou jusqu'à ce que le gâteau soit sec et reprenne sa forme lorsque pressé avec le bout des doigts.

À l'aide d'un linge à vaisselle, lever délicatement le moule du récipient de la mijoteuse, retirer le papier d'aluminium. À l'aide d'un couteau à lame ronde, détacher les bords du gâteau. Renverser dans une assiette ou un plat peu profond avec rebord, et enlever le papier.

Réchauffer rapidement ensemble le jus de citron et le sucre pour obtenir un sirop et verser sur le gâteau dès que le sucre est dissout. Laisser refroidir pendant que le sirop imprègne. Couper en tranches, servir avec des cuillérées de crème fraîche et décorer avec des cannelures de citron.

PRÉPARATION **20 minutes**

TEMPÉRATURE **maximale**

TEMPS **7 — 8 heures**

RÉCHAUFFAGE **2 — 2½ heures**

PORTIONS **6 — 8**

Plum-pudding

Beurre pour graisser

750 g (1½ lb) d'un mélange de fruits secs de luxe, les plus gros fruits coupés en dés

50 g (2 oz) de pistaches, hachées grossièrement

25 g (1 oz) de racines de gingembre confites, hachées finement

1 pomme à couteau pelée, étrognée, et râpée grossièrement

zeste râpé et jus de 1 citron

zeste râpé et jus de 1 orange

60 ml (4 c. à soupe) de brandy

50 g (2 oz) de sucre muscovado foncé

50 g (2 oz) de farine préparée pour gâteaux et pâtisseries

75 g (3 oz) de chapelure

100 g (3½ oz) de graisse végétale

5 ml (1 c. à thé) d'épices variées moulues

2 œufs, battus

POUR SERVIR

60 ml (4 c. à soupe) de brandy (facultatif)

beurre ou crème au cognac

Préchauffer la mijoteuse si nécessaire ; voir les instructions du manufacturier. Vérifier si une bassine à pouding de 1,5 l (2½ chopines) peut s'ajuster dans le récipient de votre mijoteuse tout en laissant un peu d'espace tout autour, puis graisser l'intérieur de la bassine et tapisser le fond d'un cercle de papier parchemin.

Dans un grand bol, mettre les fruits séchés, les pistaches, le gingembre et la pomme râpée. Ajouter les zestes et le jus de fruit,le brandy, puis bien mélanger. Incorporer, en brassant, les ingrédients restants. À l'aide d'une cuillère, mettre dans la bassine graissée, et bien presser à chaque cuillérée. Couvrir avec un grand cercle de papier cuisson parchemin, puis une feuille de papier d'aluminium. À l'aide d'une corde, attacher les papiers et ajouter une poignée faite de corde.

À l'aide de la poignée de corde (voir page 17, abaisser la bassine dans le récipient de la mijoteuse et verser l'eau bouillante jusqu'aux deux-tiers de la bassine. Mettre le couvercle et cuire à température maximale 7 à 8 heures. Vérifier à la mi-cuisson et ajouter un peu d'eau bouillante, si nécessaire. À l'aide d'un linge à vaisselle, sortir le pouding de la mijoteuse et laisser refroidir.

Couvrir le pouding d'une feuille de papier d'aluminium propre tout en laissant le papier parchemin en place. Attacher avec une corde et garder dans un endroit frais 2 mois ou jusqu'à Noël.

Pour servir, préchauffer la mijoteuse si nécessaire, déposer le pouding et l'eau bouillante comme décrit ci-dessus, et réchauffer à l'allure maximale 2 à 2½ heures. Enlever le papier d'aluminium et le papier parchemin, détacher les bords du pouding et renverser. Dans une casserole, chauffer le brandy (si utilisé). Lorsqu'il atteint le point d'ébullition, flamber avec une bougie et verser rapidement sur le pouding. Servir avec du beurre ou de la crème de cognac.

PRÉPARATION **10 minutes**

TEMPÉRATURE **minimale**

TEMPS **2½ — 3½ heures**

PORTIONS **4**

Compote de fruits d'hiver

300 g (10 oz) de canneberges
500 g (1 lb) de prunes rouges, coupées en 4 et dénoyautées
200 g (7 oz) de raisins rouges sans pépins, coupés en 2
20 ml (4 c. à thé) de farine de maïs
300 ml (½ chopine) de jus de raisin rouge
100g (3½ oz) de sucre semoule
1 bâtonnet de cannelle, coupé en 2
zeste râpé de 1 petite orange

CRÈME AU CITRON
150 ml (¼ chopine) de double-crème, légèrement fouettée
45 ml (3 c. à soupe) de tartinade au citron

Préchauffer la mijoteuse si nécessaire ; voir les instructions du manufacturier. Dans le récipient de la mijoteuse, déposer les canneberges, les prunes, et les raisins.

Dans un bol, mélanger la farine de maïs avec un peu de jus de raisin jusqu'à ce que le tout soit homogène, puis incorporer le jus restant. Verser dans le récipient de la mijoteuse et ajouter le sucre, la cannelle, et le zeste d'orange. Mélanger ensemble, puis mettre le couvercle et cuire à température minimale 2½ à 3½ heures ou jusqu'à ce que les fruits soient tendres.

Remuer la compote, jeter la cannelle, et servir chaude ou froide dans des bols, recouverte de crème au citron, si désiré.

PRÉPARATION **10 minutes**

TEMPÉRATURE **minimale**

TEMPS **1½ — 2 heures**

PORTIONS **4**

Bananes en sauce au rhum vanillé

25 g (1 oz) de beurre

75 g (3 oz) de sucre muscovado pâle

zeste râpé et jus de 1 lime

1 gousse de vanille ou 5 ml (1 c. à thé) d'extrait de vanille

45 ml (3 c. à soupe) de rhum blanc ou brun

200 ml (7 oz) d'eau bouillante

6 petites bananes, pelées et coupées en 2 sur la longueur

cannelures de lime, pour décorer

crème glacée à la vanille, pour servir (facultatif)

Préchauffer la mijoteuse si nécessaire ; voir les instructions du manufacturier. Mettre le beurre, le sucre, et le zeste avec le jus de lime dans le récipient de la mijoteuse pendant qu'elle réchauffe, et remuer jusqu'à ce que le beurre ait fondu.

Couper la gousse de vanille sur la longueur, ouvrir avec un petit couteau bien aiguisé, et gratter les petites graines noires. Ajouter les graines et la gousse (ou l'extrait de vanille si utilisée), au récipient de la mijoteuse avec le rhum et l'eau bouillante.

Ajouter les bananes, et les déposer en une seule couche, en les pressant pour qu'elles soient sous la surface du liquide, le plus possible. Mettre le couvercle et cuire à température minimale 1½ à 2 heures ou jusqu'à ce que les bananes soient chaudes.

À l'aide d'une cuillère, mettre les bananes et la sauce au rhum dans des plats et décorer avec des cannelures de lime supplémentaires et des cuillérées de crème glacée à la vanille, si désiré.

Boissons et conserves

Les vins chauds et les punchs qui réchauffent nos fêtes sont faciles à préparer à la mijoteuse. Vous pouvez aussi préparer des conserves de fruits, des marmelades, des gelées et de savoureux chutneys gastronomiques qui font des cadeaux tout particuliers et très appréciés.

PRÉPARATION **30 minutes**

TEMPÉRATURE **maximale**

TEMPS **6 — 7 heures**

PORTIONS **4 pots**

Chutney de betteraves

1 botte de betteraves non cuites, environ 5 betteraves, nettoyées et pelées

500 g (1 lb) de prunes rouges, dénoyautées et hachées grossièrement

1 gros oignon, haché finement

250 ml (8 oz) de vinaigre de vin rouge

250 ml (8 oz) de sucre muscovado pâle

1 racine de gingembre frais de 4 cm (1½ po), pelée et hachée finement

15 ml (1 c. à soupe) de morceaux d'anis étoilé, broyés à l'aide d'un pilon et d'un mortier

5 ml (1 c. à thé) de grains de poivre, broyés à l'aide d'un pilon et d'un mortier

5 ml (1 c. à thé) de cannelle moulue

Préchauffer la mijoteuse si nécessaire ; voir les instructions du manufacturier. Râper grossièrement les betteraves et les déposer dans le récipient de la mijoteuse avec les ingrédients restants.

Bien mélanger, puis mettre le couvercle et cuire à température maximale 6 à 7 heures, en brassant 1 ou 2 fois, jusqu'à ce que les betteraves soient tendres et que les prunes soient pulpeuses.

Dans une rôtissoire, déposer 4 pots propres à confiture, et réchauffer dans un four doux 5 minutes jusqu'à ce que les pots soient chauds. À l'aide d'une louche, verser le chutney chaud dans les pots, égaliser la surface avec une petite cuillère, couvrir avec de la cire et visser le couvercle. Étiqueter et garder dans un endroit frais jusqu'au moment de servir. Réfrigérer lorsque le pot est ouvert. Servir avec du fromage, du jambon froid tranché, ou avec la Frittata de courgettes et de fèves (voir page 48 – 49).

Portez des gants de caoutchouc lorsque vous pelez des betteraves, sinon, vos mains seront tachées. À l'aide d'un robot culinaire muni d'une lame à râper grossièrement, râpez les betteraves.

PRÉPARATION **40 minutes**

TEMPÉRATURE **maximale**

TEMPS **2 — 3 heures**

PORTIONS **3 pots**

Gelée de pommes au thym et au romarin

1 kg (2 lb) de pommes cuites (non pelées et non étrognées), lavées et coupées en dés

125 ml (4 oz) de vinaigre de vin rouge ou de cidre

600 ml (1 chopine) d'eau bouillante

environ 625 g (1¼ lb) de sucre cristallisé

15 ml (1 c. à soupe) de feuilles de thym, enlevées de la tige

30 ml (2 c. à soupe) de feuilles de romarin, hachées finement

Préchauffer la mijoteuse si nécessaire ; voir les instructions du manufacturier. Mettre les pommes et le vinaigre dans le récipient de la mijoteuse et verser l'eau bouillante.

Mettre le couvercle et cuire à température maximale 2 à 3 heures jusqu'à ce que les pommes aient ramolli. Ne vous en faites pas si les pommes perdent un peu de leur couleur lors de la cuisson; cela n'affectera pas la gelée.

Suspendre une passoire à confiture ou à gelée à un cadre de porte ou sur un banc renversé et déposer un bol en dessous. À l'aide d'une louche, verser les jus et les pommes cuites dans la passoire et laisser égoutter. Ne pas presser le liquide avec une cuillère, sinon la gelée sera trouble.

Mesurer le liquide et le verser dans une grande casserole; pour chaque 600 ml (1 chopine) de liquide, ajouter 500 g (1 lb) de sucre. Chauffer à feu doux, en brassant occasionnellement jusqu'à ce que le sucre soit dissout, puis bouillir rapidement 15 minutes jusqu'à ce que le point de figeage soit atteint. Vérifier avec un thermomètre à confiture, ou laisser tomber un peu de gelée dans une soucoupe refroidie au réfrigérateur. Laisser reposer 1 à 2 minutes, puis passer un doigt dans la gelée. Elle est prête si le doigt a laissé un sillon et si elle fait des ridules; si elle n'est pas prête, bouillir 5 à 10 minutes supplémentaires puis vérifier à nouveau.

À l'aide d'une cuillère à égoutter, enlever l'écume, puis ajouter, en brassant, les fines herbes hachées. Laisser la gelée reposer 5 minutes pour que les fines herbes ne flottent pas à la surface, puis à l'aide d'une louche, verser dans des pots secs et chauds. Ajouter de la cire sur chacun, couvrir avec du papier cellophane et sécuriser avec un élastique. Étiqueter et entreposer dans un endroit frais jusqu'au moment de servir. Réfrigérer lorsque le pot est ouvert. Servir comme accompagnement avec un rôti d'agneau.

Si vous n'avez pas de passoire à confiture ou à gelée, improvisez avec un grand tamis déposé sur une casserole et tapissez d'un linge à vaisselle neuf qui a été rincé à l'eau bouillante.

PRÉPARATION **45 minutes, plus temps de refroidissement**

TEMPÉRATURE **minimale**

TEMPS **8 — 10 heures**

PORTIONS **6 pots de grandeurs différentes**

Marmelade d'orange

1 kg (2 lb) d'oranges Séville
1,2 l (2 chopines) d'eau bouillante
2 kg (4 lb) de sucre cristallisé ou de conservation

Préchauffer la mijoteuse si nécessaire ; voir les instructions du manufacturier. Dans le récipient de la mijoteuse, mettre les oranges entières, couvrir d'eau bouillante et déposer une assiette retournée sur les oranges pour qu'elles ne flottent pas.

Mettre le couvercle et cuire à température minimale 8 à 10 heures, jusqu'à ce que les oranges soient tendres. Laisser refroidir dans la mijoteuse toute la nuit.

Le lendemain, retirer les oranges de la mijoteuse et bien égoutter. Couper en quartiers, retirer les pépins et les jeter, puis trancher les oranges finement.

Dans une bassine à confiture ou une grande casserole, mettre les oranges tranchées et le liquide du récipient de la mijoteuse, ajouter le sucre, et chauffer, à feu doux, en brassant occasionnellement, jusqu'à ce que le sucre soit complètement dissout.

Augmenter la chaleur, mettre un thermomètre à sucre, si vous en avez un, et bouillir 20 à 30 minutes ou jusqu'à ce que le point de figeage soit atteint (voir page 220 pour savoir comment vérifier). Pendant ce temps, réchauffer 6 pots dans un four doux.

À l'aide d'une louche, verser la marmelade chaude dans les pots chauds, couvrir la surface de cire, ajouter du papier cellophane et sécuriser avec un élastique ou visser le couvercle. Étiqueter et entreposer dans un endroit froid jusqu'au moment de servir.

La saison des oranges Séville ne dure que six semaines environ. Pour préparer de la marmelade similaire, hors saison, utilisez de petites oranges et ajoutez le jus de 1 citron avec le sucre.

PRÉPARATION **15 minutes**

TEMPÉRATURE **maximale**

TEMPS **3 — 5 heures**

PORTIONS **3 pots de grandeurs différentes**

Abricots en conserve

300 g (10 oz) d'abricots séchés prêts à manger, coupés en dés
4 pêches, dénoyautées, coupées en 2 puis coupées en dés
250 g (8 oz) de sucre semoule
300 ml (½ chopine) d'eau bouillante

Préchauffer la mijoteuse si nécessaire ; voir les instructions du manufacturier. Dans le récipient de la mijoteuse, mettre les abricots, les pêches, le sucre, et l'eau bouillante, et mélanger ensemble.

Mettre le couvercle et cuire à température maximale 3 à 5 heures, en brassant une fois durant la cuisson, puis une fois à la fin. Cuire jusqu'à ce que les fruits soient tendres et que le liquide soit épais et sirupeux, avec une texture semblable à celle du chutney.

À l'aide d'une louche, verser la conserve dans les pots chauds. Couvrir la surface de cire, puis d'un papier cellophane et sécuriser avec un élastique. Laisser reposer pour refroidir. Les conserves peuvent être entreposées jusqu'à 2 mois au réfrigérateur.

Si vous préférez peler les pêches, faites une croix à la base de chacune et tremper dans l'eau bouillante 1 minute. La pelure s'enlèvera facilement.

PRÉPARATION **15 minutes**

TEMPÉRATURE **minimale**

TEMPS **3 — 4 heures**

PORTIONS **3 petits pots**

Crème à tartiner au citron et aux fruits de la passion

125 g (4 oz) de beurre non salé, coupé en dés
400 g (13 oz) de sucre semoule
4 œufs, battus
zeste râpé et jus de 2 limes
zeste râpé de 2 citrons
jus de 1 citron
3 fruits de la passion, coupés en 2

Préchauffer la mijoteuse si nécessaire ; voir les instructions du manufacturier. Dans une grande bassine (vérifier si elle s'ajuste bien à votre mijoteuse avant de continuer), mettre le beurre et le sucre, puis cuire au four à micro-ondes 2 minutes, à la puissance maximale, jusqu'à ce que le beurre ait fondu.

Remuer le mélange de sucre, puis fouetter graduellement les œufs, puis ajouter le jus et le zeste des fruits. Couvrir la bassine de papier d'aluminium et déposer dans le récipient de la mijoteuse. Verser l'eau bouillante dans le récipient jusqu'à la moitié de la bassine, mettre le couvercle et cuire à température minimale 3 à 4 heures, en brassant une fois durant la cuisson jusqu'à ce que le mélange ait épaissi.

Brasser le mélange encore une autre fois. À l'aide d'une cuillère à café, enlever les graines des fruits de la passion, et les ajouter au mélange, en brassant.

À l'aide d'une louche, verser la conserve dans les pots chauds, couvrir la surface avec de la cire puis avec un papier cellophane, et sécuriser avec un élastique. Laisser refroidir. La conserve peut se garder au réfrigérateur jusqu'à 2 semaines.

PRÉPARATION **10 minutes**

TEMPÉRATURE **maximale et minimale**

TEMPS **3 — 4 heures**

PORTIONS **6**

Punch chaud au cidre

- **1 l (1¾ chopine) de cidre sec**
- **125 ml (4 oz) de whiskey**
- **125 ml (4 oz) de jus d'orange**
- **60 ml (4 c. à soupe) de miel ferme**
- **2 bâtonnets de cannelle, coupés en 2**
- **1 orange, coupée en quartiers et le zeste cannelé, pour décorer (facultatif)**

Préchauffer la mijoteuse si nécessaire; voir les instructions du manufacturier. Dans le récipient de la mijoteuse, déposer tous les ingrédients, mettre le couvercle et cuire une heure à température maximale.

Réduire la chaleur et cuire à température minimale 2 à 3 heures jusqu'à ce que le tout soit très chaud. Remuer, puis, à l'aide d'une louche, verser dans des gobelets résistant à la chaleur. Ajouter les quartiers d'orange et les cannelures pour décorer, si désiré.

PRÉPARATION **5 minutes**

TEMPÉRATURE **maximale et minimale**

TEMPS **3 — 4 heures**

PORTIONS **6**

Vin chaud épicé

- **750 ml (1¼ chopine) ou 1 bouteille de vin rouge bon marché**
- **300 ml (½ chopine) de jus de pomme clair**
- **300 ml (½ chopine) d'eau**
- **jus de 1 orange**
- **1 orange, tranchée**
- **½ citron, tranché**
- **1 bâtonnet de cannelle, coupé en 2**
- **6 clous de girofle**
- **2 feuilles de laurier**
- **150 ml (¼ chopine) de brandy**
- **125 g (4 oz) de sucre semoule**

Préchauffer la mijoteuse si nécessaire; voir les instructions du manufacturier. Dans le récipient de la mijoteuse, verser le vin, le jus de pomme, l'eau, et le jus d'orange. Ajouter l'orange et le citron tranchés, le bâtonnet de cannelle, les clous de girofle, et les feuilles de laurier. Incorporer le sucre et le brandy.

Mettre le couvercle et cuire à température maximale 1 heure. Réduire à température minimale et cuire 3 à 4 heures.

PRÉPARATION **10 minutes**

TEMPÉRATURE **maximale et minimale**

TEMPS **3 — 4 heures**

PORTIONS **6**

Punch chaud épicé aux baies

1 l (1¾ chopine) de boisson aux canneberges et aux framboises

250 g (8 oz) de baies congelées

50 g (2 oz) de sucre semoule

60 ml (4 c. à soupe) de crème de cassis (facultatif)

4 petits anis étoilés

1 bâtonnet de cannelle, coupé en 2 sur la longueur

framboises fraîches, pour décorer (facultatif)

Préchauffer la mijoteuse si nécessaire ; voir les instructions du manufacturier. Dans le récipient de la mijoteuse, verser la boisson aux canneberges et aux framboises, ajouter les fruits congelés, le sucre et la crème de cassis (si utilisée). Mélanger ensemble, puis ajouter l'anis étoilé et le bâtonnet de cannelle coupé en 2. Mettre le couvercle et cuire une heure à température maximale .

Réduire à température minimale et cuire 2 à 3 heures. Égoutter, si désiré, puis enlever l'anis étoilé et la cannelle et les déposer dans les gobelets. Dans de petits verres résistant à la chaleur, verser le punch chaud et ajouter quelques framboises fraîches, si désiré.

Cette boisson peut s'adapter pour les fêtes. Pour une version non alcoolisée, pour ceux qui doivent conduire, omettez la crème de cassis. Vous pouvez omettre la crème de cassis et réduire cette boisson en purée jusqu'à ce qu'elle soit lisse pour obtenir un grog chaud pour les enfants ou vous pouvez préparer un punch à base de cidre, de jus de fruits, ou de thé.

PRÉPARATION **5 minutes**

TEMPÉRATURE **maximale et minimale**

TEMPS **3 — 4 heures**

PORTIONS **6**

Rhum chaud au beurre

1 l (1¾ chopine) de jus de pomme clair

150 l (¼ chopine) de rhum foncé

30 ml (2 c. à soupe) de miel ferme

30 ml (2 c. à soupe) de sucre muscovado foncé

25 g (1 oz) de beurre

6 clous de girofle

1 pomme à couteau, étrognée et tranchée finement, pour décorer

Préchauffer la mijoteuse si nécessaire ; voir les instructions du manufacturier. Dans le récipient de la mijoteuse, verser le jus de pomme, le rhum, le miel, le sucre, le beurre et les clous de girofle.

Mettre le couvercle et cuire à température maximale 1 heure. Réduire à température minimale et cuire 3 à 4 heures. Remuer, retirer les clous de girofle, puis à l'aide d'une louche, verser le punch dans des gobelets résistant à la chaleur. Décorer avec des tranches de pomme.

PRÉPARATION **10 minutes**

TEMPÉRATURE **minimale**

TEMPS **2 — 3 heures**

PORTIONS **4**

Chocolat chaud des skieurs

- **100 g (3½ oz) de chocolat de bonne qualité**
- **25 g (1 oz) de sucre semoule**
- **750 ml (1¼ chopine) de lait complet**
- **quelques gouttes d'extrait de vanille**
- **un peu de cannelle moulue**
- **45 ml (3 c. à soupe) de liqueur de café Kahlua (facultatif)**
- **Guimauves miniatures, pour servir**

Préchauffer la mijoteuse si nécessaire ; voir les instructions du manufacturier. Dans le récipient de la mijoteuse, placer le chocolat et le sucre, puis ajouter le lait, l'extrait de vanille et la cannelle.

Mettre le couvercle et cuire à température minimale 2 à 3 heures, en fouettant 1 ou 2 fois, jusqu'à ce que le chocolat ait fondu et que la boisson soit chaude. Ajouter le Kahlua, si utilisé. À l'aide d'une louche, verser dans des tasses et déposer quelques guimauves.

On peut tricher un peu

Dans un monde idéal, tous voudraient préparer le dîner à partir de rien, mais la plupart d'entre nous n'avons pas le temps. Les recettes de ce chapitre incluent des raccourcis simples qui vous font utiliser des ingrédients que vous avez dans votre armoire, combinés avec des sauces déjà prêtes et des aliments froids prêts à servir.

PRÉPARATION **15 minutes**

TEMPÉRATURE **minimale**

TEMPS **6 —7 heures**

PORTIONS **4**

Boulettes de viande et tagliatelles

15 ml (1 c. à soupe) d'huile d'olive

2 paquets de 350 g (11½ oz) de 12 boulettes au bœuf

1 oignon, haché

1 pot de 400 g (13 oz) de sauce aux tomates et aux légumes rôtis

200 ml (7 oz) de vin rouge

375 g (12 oz) de tagliatelles

1 petit bouquet de basilic (facultatif)

1 morceau de fromage parmesan, râpé ou en copeaux, pour servir

Préchauffer la mijoteuse si nécessaire; voir les instructions du manufacturier. Dans une poêle à frire, chauffer l'huile, ajouter les boulettes de viande, et cuire, en lots si nécessaire, jusqu'à ce qu'elles soient dorées, mais non cuites complètement. À l'aide d'une cuillère à égoutter retirer les boulettes de viande et les transférer dans le récipient de la mijoteuse.

Dans la poêle à frire, ajouter l'oignon et cuire 5 minutes, en brassant,jusqu'à ce qu'il ait ramolli. Égoutter presque tout le gras, puis verser la sauce aux tomates et le vin rouge. Porter le mélange à ébullition, en brassant, puis verser sur les boulettes de viande.

Mettre le couvercle et cuire à température minimale 6 à 7 heures. Presque au moment de servir, dans une grande casserole d'eau bouillante, mettre les pâtes et cuire 9 à 10 minutes, jusqu'à ce qu'elles soient tendres. À l'aide d'une passoire, égoutter.

Déchirer les feuilles de basilic, si utilisées, sur les boulettes de viande dans la mijoteuse, ajouter les pâtes égouttées et mélanger. À l'aide d'une cuillère, verser dans des bols peu profonds et servir avec du parmesan râpé ou en copeaux.

Les boulettes de viande déjà préparées sont un ingrédient secret de choix. Mélangez n'importe quelle sauce en conserve pour les pâtes, du vin rouge et du basilic, et vous pourrez créer un dîner simple assez bien pour servir aux amis. Si vous préparez cette recette pour les enfants, utilisez du bouillon de bœuf au lieu du vin.

PRÉPARATION **15 minutes**

TEMPÉRATURE **minimale**

TEMPS **7 — 8 heures**

PORTIONS **4**

Poulet au thym en sauce aux champignons

25 g (1 oz) de beurre

15 ml (1 c. à soupe) d'huile d'olive

4 poitrines de poulet désossé, la peau enlevée, environ 625 g (1¼ lb)au total

1 petit oignon, tranché finement

200 g (7 oz) de champignons de Paris tranchés

1 boîte de 415 g (13½ oz) de crème de poulet

30 ml (2 c. à soupe) de xérès

1 à 2 brindilles de thym

POUR SERVIR
pommes de terre nouvelles
brocoli

Préchauffer la mijoteuse si nécessaire; voir les instructions du manufacturier. Dans une poêle à frire, chauffer la moitié du beurre et l'huile, ajouter les poitrines de poulet et cuire brièvement jusqu'à ce qu'elles soient dorées des deux côtés. À l'aide d'une cuillère à égoutter, retirer de la casserole et transférer dans le récipient de la mijoteuse.

Dans la casserole, ajouter l'oignon et cuire, en brassant, 5 minutes ou jusqu'à ce qu'il ait ramolli. Ajouter le beurre restant et les champignons et cuire 2 à 3 minutes.

Verser la soupe et le xérès et porter à ébullition. Mettre le thym dans le récipient de la mijoteuse et verser le mélange de soupe sur le dessus.

Mettre le couvercle et cuire à température minimale 7 à 8 heures ou jusqu'à ce que le poulet soit tendre. Vérifier en insérant un petit couteau au milieu d'une des poitrines du centre du récipient; si les jus sont clairs, les poitrines sont prêtes. À l'aide d'une cuillère, mettre dans des assiettes, jeter le thym et servir avec des pommes de terre nouvelles et du brocoli vapeur.

Vous pouvez substituer une boîte de soupe à la sauce maison. Une crème au poulet a été utilisée dans cette recette, mais vous pouvez la remplacer par une crème aux tomates, une crème aux légumes ou une crème aux champignons.

PRÉPARATION **10 minutes**

TEMPÉRATURE **minimale et maximale**

TEMPS **8½ — 10½ heures**

PORTIONS **4**

Ragoût d'agneau avec boulettes de pâte

15 ml (1 c. à soupe) d'huile de tournesol

625 g (1¼ lb) de surlonge ou côtelettes de filet d'agneau

1 poireau, tranché ; garder les parties vertes et blanches séparées

2 carottes coupées en dés

2 boîtes de 415 g (13½ oz) de bouillon écossais

1 paquet de 180 g (6¼ oz) de mélange pour boulettes de pâte aux fines herbes

75 à 90 ml (5 à 6 c. à soupe) d'eau

Préchauffer la mijoteuse si nécessaire ; voir les instructions du manufacturier. Dans une poêle à frire, chauffer l'huile, ajouter l'agneau et frire jusqu'à ce qu'il soit doré des deux côtés. À l'aide d'une cuillère à égoutter, transférer dans le récipient de la mijoteuse.

Dans la poêle à frire, ajouter la partie blanche du poireau et cuire 2 à 3 minutes jusqu'à ce qu'elle commence à ramollir. Ajouter les carottes et les boîtes de bouillon, porter à ébullition, en brassant, puis verser sur l'agneau. Mettre le couvercle et cuire à température minimale 8 à 10 heures.

Presque au moment de servir, mettre le mélange pour boulettes de pâte dans un bol. À l'aide d'une fourchette, ajouter graduellement assez d'eau et mélanger pour obtenir une pâte molle, mais non collante. Diviser en 8 et former une boulette avec chaque morceau.

Dans une casserole, mettre la partie verte du poireau, déposer les boulettes de pâte, remettre le couvercle et cuire à température élevée 30 minutes jusqu'à ce que les boulettes aient bien levé et que le dessus soit sec. À l'aide d'une cuillère, servir le ragoût et les boulettes de pâte dans des bols peu profonds.

Dans cette recette, on utilise le surlonge ou les côtes de filet d'agneau pour une préparation plus rapide, mais si vous préférez, vous pouvez acheter des tranches d'épaule ou du filet d'agneau que vous tranchez ou coupez en dés avant de cuire.

PRÉPARATION **15 minutes**

TEMPÉRATURE **minimale**

TEMPS **8 — 9 heures**

PORTIONS **4**

Bœuf épicé à la chinoise

30 ml (2 c. à soupe) d'huile de tournesol

700 g (1½ lb) de bœuf à ragoût coupé en dés

1 oignon, tranché finement

1 racine de gingembre frais de 2,5 cm (1 po), pelé et haché finement

1 pot de 425 g (14 oz) de sauce Hoisin aux cinq épices

1 paquet de 270 g (8½ oz) d'un mélange de légumes à sauté déjà préparé

2 ciboules, tranchées finement

1 paquet de 385 g (12½ oz) de nouilles aux œufs froides

1 petit bouquet de coriandre

Préchauffer la mijoteuse si nécessaire; voir les instructions du manufacturier. Dans une poêle à frire, chauffer 15 ml (1 c. à soupe) d'huile, ajouter le bœuf, quelques morceaux à la fois jusqu'à ce que tous les morceaux soient dans la poêle, puis frire, en brassant, jusqu'à ce qu'ils soient dorés de tout les côtés. À l'aide d'une cuillère à égoutter, transférer la viande de la poêle au récipient de la mijoteuse.

Dans la poêle, ajouter l'oignon et frire en brassant 5 minutes ou jusqu'à ce qu'il commence à dorer. Incorporer le gingembre, puis ajouter le pot de sauce Hoisin. Porter à ébullition, en brassant, puis verser dans le récipient de la mijoteuse. Mettre le couvercle et cuire à température minimale 8 à 9 heures, jusqu'à ce que le bœuf soit tendre.

Presque au moment de servir, dans une poêle à frire propre, chauffer l'huile restante, ajouter le mélange à sauté, les ciboules et cuire 3 à 4 minutes jusqu'à ce que le tout commence à ramollir. Pousser les légumes d'un côté de la poêle. Ajouter les nouilles et cuire 2 à 3 minutes jusqu'à ce qu'elles soient chaudes. À l'aide d'une cuillère, déposer les nouilles dans des plats peu profonds, remuer le bœuf et déposer sur les nouilles. Servir recouvert de légumes et de feuilles de coriandre déchiquetées.

Utilisez cette recette de base et adaptez-la comme vous le désirez, en ajoutant des sauces déjà préparées de différentes saveurs. Il devrait y avoir assez de liquide pour couvrir la viande, mais s'il en manque, ajoutez un peu d'eau bouillante, de vin ou de cidre.

PRÉPARATION **10 minutes**

TEMPÉRATURE **minimale**

TEMPS **5¼ — 6¼ heures**

PORTIONS **4**

Chou-fleur et épinards balti

15 ml (1 c. à soupe) d'huile de tournesol

1 oignon, haché

1 boîte de 540 g (1 lb 3 oz) de sauce au cari balti

1 gros chou-fleur, étrogné, les bouquets coupés en gros morceaux, d'environ 750 g (1½ lb) lorsque préparé

410 g (13½ oz) de lentilles vertes, égouttées

150 g (5 oz) d'épinards, lavés et déchirés en morceaux

pain nan, pour servir

Préchauffer la mijoteuse si nécessaire ; voir les instructions du manufacturier. Dans une poêle à frire, chauffer l'huile, ajouter l'oignon et cuire, en brassant, 5 minutes ou jusqu'à ce qu'il ait ramolli. Verser la sauce au cari et porter à ébullition.

Ajouter le chou-fleur et les lentilles dans le récipient de la mijoteuse. Verser la sauce piquante, mettre le couvercle et cuire à température minimale 5 à 6 heures ou jusqu'à ce que le chou-fleur soit tendre.

Remuer le chou-fleur et ajouter les épinards sur le dessus. Remettre le couvercle et cuire, toujours à température minimale, 10 à 15 minutes jusqu'à ce que les épinards soient affaissés. À l'aide d'une cuillère, déposer dans des bols et servir avec du pain nan chaud.

La quantité de liquide et la grosseur des morceaux ont une influence sur le temps de cuisson dans une mijoteuse. Plus il y a de liquide et plus les morceaux sont petits, plus la cuisson est rapide.

PRÉPARATION **15 minutes**

TEMPÉRATURE **minimale**

TEMPS **8 — 10 heures**

PORTIONS **4**

Hachis parmentier méditerranéen

30 ml (2 c. à soupe) d'huile d'olive
1 oignon, haché
1 aubergine, coupée en dés
500 g (1 lb) d'agneau haché
2 gousses d'ail, hachées finement
1 boîte de 400 g (13 oz) de sauce aux tomates pour pâtes
1 courgette, coupée en dés
1 paquet de 850 g (1 lb 10 oz) de purée de pommes de terre prête à manger, réfrigérée
60 ml (4 c. à soupe) de fromage parmesan ou cheddar fraîchement râpé.

Préchauffer la mijoteuse si nécessaire ; voir les instructions du manufacturier. Dans une poêle à frire, chauffer l'huile, ajouter l'oignon et l'aubergine et cuire, en brassant, 5 minutes ou jusqu'à ce qu'ils aient ramolli. À l'aide d'une cuillère à égoutter, transférer le mélange de la poêle au récipient de la mijoteuse.

Dans la poêle à frire, ajouter l'agneau et cuire à sec en brassant, 5 minutes jusqu'à ce qu'il soit doré. Ajouter l'ail et la sauce aux tomates et porter à ébullition, en brassant.

Ajouter la courgette au récipient de la mijoteuse et verser la sauce sur le dessus. Mettre le couvercle et cuire à température minimale 8 à 10 heures.

Presque au moment de servir, cuire la purée de pommes de terre au four à micro-ondes, suivre les instructions sur l'emballage. Brasser la purée, et brasser la viande hachée avec différentes cuillères, puis à l'aide d'une cuillère, déposer les pommes de terre sur la viande.

Saupoudrer de fromage râpé, puis à l'aide de gants de cuisinier, retirer le récipient de la mijoteuse. Dorer le hachis sous le gril préchauffé de la cuisinière, et servir avec des pois.

PRÉPARATION **15 minutes**

TEMPÉRATURE **minimale**

TEMPS **4 — 4½ heures**

PORTIONS **4**

Pouding de croissants au chocolat aux pacanes

Pouding de croissants au chocolat aux pacanes
50 g (2 oz) de beurre
4 croissants au chocolat
50 g (2 oz) de sucre semoule
1,2 ml (¼ c. à thé) de cannelle moulue
40 g (1½ oz) de pacanes, broyées grossièrement
300 ml (½ chopine) de lait complet
2 œufs entiers
2 jaunes d'œufs
5 ml (1 c. à thé) d'extrait de vanille
crème, pour servir

Graisser l'intérieur d'un plat à bords droits, allant au four, de 1,2 l (2 chopines) avec un peu de beurre (vérifier tout d'abord si le plat s'ajuste à votre mijoteuse).

Faire des tranches épaisses avec les croissants et tartiner un côté de chaque tranche avec le beurre restant. Mélanger ensemble le sucre et les épices. Déposer les croissants en couches dans le plat, saupoudrer chaque couche de sucre épicé et de pacanes.

Fouetter ensemble le lait, les œufs, et les jaunes d'œufs avec l'extrait de vanille. Verser dans le plat et tremper 15 minutes. Préchauffer la mijoteuse si nécessaire; voir les instructions du manufacturier.

Couvrir lâchement le dessus du pouding avec du papier d'aluminium graissé, puis le mettre dans le récipient de la mijoteuse. Verser l'eau bouillante jusqu'à la moitié du plat, mettre le couvercle et cuire à température minimale 4 à 4½ heures ou jusqu'à ce que la crème anglaise soit ferme et que le pouding ait bien levé.

À l'aide de gants de cuisinier, retirer le plat de la mijoteuse. À l'aide d'une cuillère, servir dans des bols avec de la crème.

Pour un pouding au pain à l'anglaise plus traditionnel, utilisez 4 tranches de pain beurré et saupoudrez chaque couche de sucre et de quelques cuillérées de fruits séchés au lieu de la cannelle et des pacanes. Préparez la crème anglaise avec de l'extrait de vanille.

PRÉPARATION **15 minutes**

TEMPÉRATURE **maximale**

TEMPS **3 — 3½ heures**

PORTIONS **4 — 6**

Pouding éponge aux cerises et à la noix de coco

Beurre, pour graisser

40 g (1½ oz) de noix de coco séchée

1 boîte de 400 g (13 oz) de garniture aux cerises pour tarte

1 paquet de 500 g (1 lb) de préparation à gâteau de Madère

60 ml (4 c. à soupe) d'huile de tournesol ou 1 œuf (voir les instructions de la préparation à gâteau)

crème glacée à la vanille, pour servir (facultatif)

Préchauffer la mijoteuse si nécessaire; voir les instructions du manufacturier. Beurrer légèrement une bassine à pouding de 1,5 l (2½ chopines) et tapisser le fond de papier parchemin. Saupoudrer un peu de noix de coco, puis incliner et tourner la bassine jusqu'à ce que les parois soient légèrement enrobées. À l'aide d'une cuillère, mettre la moitié de la garniture pour tarte dans le fond de la bassine.

Dans un bol, mettre la préparation à gâteau et mélanger avec l'huile ou l'œuf et l'eau tel qu'indiqué sur l'emballage.

Incorporer la noix de coco restante, puis à l'aide d'une cuillère, mettre dans la bassine et égaliser la surface. Avec une feuille de papier d'aluminium graissée, couvrir le dessus, faire un pli ou un dôme au centre pour permettre au pouding de lever. Attacher la feuille d'aluminium avec une corde et descendre la bassine dans le récipient de la mijoteuse.

Verser l'eau bouillante dans le récipient jusqu'à la moitié de la bassine, mettre le couvercle et cuire à température maximale 3 à 3½ heures ou jusqu'à ce que le gâteau éponge soit bien levé, qu'il semble sec et qu'il reprenne sa forme lorsque pressé du bout des doigts.

À l'aide de gants de cuisinier, retirer le récipient de la mijoteuse et avec un couteau à lame ronde, détacher les bords du pouding. Renverser dans une assiette, enlever la bassine et le papier. Dans un bol allant au four à micro-ondes, réchauffer la garniture pour tarte restante, au four à micro-ondes, 45 à 60 secondes à pleine puissance, jusqu'à ce qu'elle soit chaude. Servir le pouding avec les cerises restantes et des cuillérées de crème glacée à la vanille si désiré.

Faites vos propres combinaisons de saveur en utilisant une préparation à gâteau au chocolat ou une boîte de garniture pour tarte aux pommes rehaussée d'un peu de citron râpé ou de zeste d'orange.

PRÉPARATION **15 minutes**

TEMPÉRATURE **minimale**

TEMPS **2 — 3 heures**

PORTIONS **4**

Croustillant à l'avoine avec framboises et rhubarbe

400 g (13 oz) de rhubarbe nettoyée

150 g (5 oz) de framboises congelées

50 g (2 oz) de sucre semoule

45 ml (3 c. à soupe) d'eau

crème épaisse, pour servir

GARNITURE

15 g (½ oz) de beurre

45 ml (3 c. à soupe) d'amandes effilées

200 g (7 oz), environ 4 crêpes d'avoine déjà préparées

Préchauffer la mijoteuse si nécessaire ; voir les instructions du manufacturier.Couper la rhubarbe en tranches de 2,5 cm (1 po) d'épaisseur et mettre dans le récipient de la mijoteuse avec les framboises encore congelées, le sucre et l'eau.

Mettre le couvercle et cuire à température minimale 2 à 3 heures, jusqu'à ce que la rhubarbe commence à ramollir.

Presque au moment de servir, dans une poêle à frire, chauffer le beurre, ajouter les amandes et réduire en miettes les crêpes d'avoine. Cuire, en brassant, 3 à 4 minutes jusqu'à ce qu'elles soient chaudes et légèrement dorées.

À l'aide d'une cuillère, mettre dans des bols, saupoudrer le dessus de miettes et servir avec de la crème épaisse.

PRÉPARATION **10 minutes**

TEMPÉRATURE **maximale**

TEMPS **1 —— 1½ heure**

PORTIONS **4 — 6**

Crêpes aux pommes au caramel anglais

50 g (2 oz) de beurre
75 g (3 oz) de sucre muscovado pâle
30 ml (2 c. à soupe) de sirop de maïs
4 pommes coupées en 8 quartiers
le jus de 1 citron
1 paquet de 375 g (12 oz) ou 6 crêpes froides ou à longue durée de conservation
chocolat râpé, pour décorer (facultatif)
crème glacée à la vanille, pour servir

Si nécessaire, préchauffer la mijoteuse (voir les instructions du manufacturier). Dans un bol allant au four à micro-ondes, chauffer le beurre, le sucre, et le sirop au micro-ondes, de 1 à 1½ minute à pleine puissance, jusqu'à ce que le beurre fonde.

Dans le récipient de la mijoteuse, mélanger les pommes et le jus de citron. Incorporer le mélange de beurre et verser sur les pommes. Mettre le couvercle et cuire à température maximale de 1 heure à 1½ heure.

Chauffer les crêpes au four à micro-ondes, selon les instructions sur l'emballage. Plier en deux et déposer dans les assiettes de service. Remuer le mélange de pommes, puis à l'aide d'une cuillère, verser sur les crêpes. Recouvrir d'une cuillérée de crème glacée à la vanille et saupoudrer d'un peu de chocolat râpé, si désiré.

Pour ceux qui aiment réellement le chocolat, tartiner les crêpes avec un peu de chocolat avant de les chauffer au four à micro-ondes, puis recouvrir de pommes et de sauce au caramel anglais.

Index

D

E

F

G

H

Remerciements

Directrice de la rédaction Eleanor Maxfield

Éditrice sénior Charlotte Macey

Directrice de la rédaction artistique Penny Stock

Designer Barbara Zuñiga

Contrôleure sénior de la production Amanda Mackie

Photographe Stephen Conroy

Styliste culinaire Sara Lewis

Accessoiriste Liz Hippisley